LES GANGSTERS ET LA RÉPUBLIQUE

Du même auteur

Trafic de drogue… trafic d'États, Fayard, 2002 (avec Éric Merlen).
Carnets intimes de la DST, Fayard, 2003 (avec Éric Merlen).
La Colonie du Docteur Schaefer, une secte nazie, Fayard 2003 (avec Maria Poblete).
Parrains et Caïds. Le grand banditisme dans l'œil de la PJ, Fayard, 2005.
Parrains et Caïds II. Ils se sont fait la belle, Fayard, 2007.
Parrains et Caïds III. Le sang des caïds. Les règlements de comptes dans l'œil de la PJ, Fayard, 2009.
Ce que je n'ai pas dit dans mes carnets. Entretiens avec Yves Bertrand, Fayard, 2009.
La Prison des caïds, Plon, 2011.
L'Intérieur. Un ancien directeur général de la police témoigne, Fayard, 2012.
Secrets d'avocats, Fayard, 2012 (avec Éric Merlen).
Vol au-dessus d'un nid de ripoux, Fayard, 2013.
Parrains et Caïds IV. Génération kalachnikov, Fayard, 2014.
Avec William Perrin, *Mémoires d'un vrai voyou*, Fayard, 2015.
Femmes hors-la-loi, le banditisme au féminin en France, Fayard, 2016 (avec Maria Poblete).

Frédéric Ploquin

LES GANGSTERS ET LA RÉPUBLIQUE

Fayard

Couverture
Atelier Christophe Billoret

ISBN : 978-2-213-70060-1

La République s'est dotée des moyens nécessaires lorsque son existence même était menacée.

CHARLES PASQUA,
ancien ministre de l'Intérieur

En échange du service rendu, le voyou ira taper à la porte du politique, qui a la main au niveau des commerces, des appartements, des permis en tout genre. Un service en vaut un autre, c'est pas compliqué.

TONY COSSU, gangster

À partir du moment où on est dans l'occulte, tout devient possible !

CHARLES DIAZ,
contrôleur général de la Police nationale

Sommaire

Avant-propos Un âge d'or 11

Chapitre 1. La place Beauvau face aux liaisons dangereuses 19

Chapitre 2. La République vue par les gangsters / 1 : « On y est allés gaiement » 49

Chapitre 3. Sexe, chantage et « pain de fesse » 61

Chapitre 4. Casablanca, le capitaine et la Main rouge 89

Chapitre 5. Jeux, cash et renseignement 105

Chapitre 6. La République vue par les gangsters / 2 : Sur les rails de l'OAS 137

Chapitre 7. Le SAC, officine de toutes les campagnes 145

Chapitre 8. Marseille, chaudron du clientélisme à la française 167

Chapitre 9. La République vue par les gangsters / 3 : « Le milieu, c'est un peu comme le Vatican… »..... 185

Chapitre 10. Corse, un poison nommé
Francia ... 195
Chapitre 11. La République vue par les gangsters /
4 : Marbella et les commandos de la mort
anti-Basques ... 213
Chapitre 12. La République vue par les gangsters /
5 : Les «pognonistes» de la banlieue Sud ... 225
Chapitre 13. La République, otage de la drogue /
1 : Les quartiers Nord de Marseille ... 231
Chapitre 14. La République vue par les gangsters /
6 : Les caïds de cité, ces nouveaux notables ... 255
Chapitre 15. La République otage de la drogue /
2 : L'Île-de-France ... 267
Chapitre 16. L'espion, l'homme de l'ombre,
le procureur et le professeur de criminologie ... 293

Remerciements ... 345

Avant-propos

Un âge d'or

Les gangsters traqués par la police de la République, c'est la version officielle. Une fiction. En vrai, ce sont des décennies de services rendus. Le pouvoir a toujours eu besoin des voyous pour effectuer les basses besognes que ses agents officiels ne pouvaient accomplir. Ce sont ces petits arrangements entre « amis » que décrypte ce livre, sur une période s'étendant de la Libération à la France d'aujourd'hui, en passant par les coups tordus du SAC (Service d'action civique), appendice gaulliste de sinistre réputation, et la guerre d'Algérie, où tous les coups furent permis. Avec une escale obligée dans le Marseille de feu Gaston Defferre, une école de la compromission entre milieu et gens de pouvoir. Et une intrusion prolongée dans ces cités où a fleuri un nouveau banditisme solidement ancré dans ses territoires, laboratoire des liaisons dangereuses de demain.

Au menu de cette investigation, les trois grands secteurs économiques traditionnellement investis par les gangsters : le commerce du sexe et la grande époque de la brigade mondaine, dont les policiers couvraient les hôtels de passe dans la capitale en échange de précieux renseignements sur les frasques sexuelles des élites politiques, culturelles ou religieuses ; le jeu, où comment le milieu corse fit main basse sur les juteux cercles parisiens au lendemain de la Libération, parce qu'il fallait bien les remercier pour leur contribution, une poule aux œufs d'or qui aura pondu pendant plus d'un demi-siècle ; la drogue, enfin, qui a vu le milieu asseoir son emprise sur la côte andalouse, lieu de transit du cannabis à portée de vue des côtes marocaines, moyennant quelques missions tordues pour le compte du gouvernement madrilène, tandis que les caïds des cités, cette nouvelle génération qui tire plus vite que son ombre, échangeaient une forme de paix sociale dans les quartiers contre la prospérité du trafic sur leurs territoires.

Comment la République s'est-elle appuyée sur les voyous, tout en les laissant se servir allégrement dans la caisse et à la faveur d'une époque longtemps favorable sur le plan économique ?

Réponses dans ces pages avec les témoignages exclusifs d'hommes politiques de tous bords, de Charles Pasqua (avec lequel nous nous sommes entretenu quelques semaines avant son décès) à la sénatrice socialiste de Marseille Samia Ghali, et de grands flics, de Lucien Aimé-Blanc (ancien responsable de la mondaine) à Bernard Squarcini (ex-patron des RG et de la direction centrale du renseignement intérieur), en passant par un ancien patron des jeux, le commissaire Bernard Besson, le syndicaliste Bernard Deleplace, qui a connu la police sous emprise gaulliste, et son lointain successeur, Nicolas Comte.

Le tableau ne serait cependant pas complet si nous n'avions pas également « convoqué à la barre » quelques gangsters de renom, surtout des anciens, pour confronter leur parole avec celle des politiques : Tony Cossu, alias « Tony l'anguille », l'incontournable Marseillais, « Le Baron », qui vécut les belles heures de Marbella, William Perrin, dit « Le Grand », qui fit ses classes au Havre au temps du débarquement allié. À cette brochette s'ajoute un ancien dealer de cité qui flamba dans les années 1990 et connaît la Seine-Saint-Denis comme sa poche. Le franc-parler de ces malfrats aurait cruellement manqué à cette peinture réaliste des bas-fonds de la République, effectuée à partir de trente-cinq entretiens filmés pour une série de trois documentaires produits par Phares et Balises, société de production dirigée par Jean Labib, sous le contrôle de Fanny Glissant, et réalisés par Julien Johan pour le compte de France 5.

Les mots de la fin seront concédés à un ancien pilier de la DST, le contre-espionnage français, Raymond

Nart, à un procureur, Jacques Dallest, et au professeur de criminologie Alain Bauer. Mais, pour ouvrir le bal, nous avons invité deux historiens, Jean-Marc Berlière et Charles Diaz, par ailleurs policier. Deux témoins qui nous rappellent comment tout s'est noué alors que la République était suspendue durant l'Occupation, véritable berceau des relations incestueuses entre voyoucratie, police et classe politique.

« Quand ils sont arrivés en France, dans un pays en pleine débâcle, un pays humilié, souligne Charles Diaz, les Allemands avaient une priorité : s'emparer de tous les biens nécessaires à l'effort de guerre de la machine nazie. Pour réussir ce pillage, au-delà de ce que la France va donner officiellement à l'Allemagne, il faut trouver des matières premières, du carburant, de l'outillage. Par quel moyen ? Le trafic, un domaine que la bureaucratie allemande a désigné sous le nom de « secteur officiel clandestin ». C'est aux services secrets de l'armée allemande que revient le soin d'organiser cette vaste entreprise de récupération. Le problème, c'est qu'ils ne connaissent pas les réseaux, encore moins les receleurs, tous ces personnages interlopes en mesure de vous procurer ce qui ne se trouve pas sur le marché normal, autrement dit les voyous. Les Allemands l'ont très vite compris. »

Des liens existaient déjà, puisque des voyous avaient renseigné l'Allemagne avant la défaite, comme ils l'avaient fait avec les fascistes en Italie. Ils se resserrent à partir de juin 1940. La pègre, elle, a tout à y gagner : le pouvoir, l'argent, les voitures, les armes, la possibilité de circuler librement. Pour elle, c'est un véritable « âge d'or », selon les mots de Charles Diaz. Les voyous se sont vu confier par les nazis ce qu'ils appellent le « carton », cet Ausweis qui leur permet de circuler à leur guise. Non seulement les soldats allemands doivent les laisser passer, mais ils sont invités à leur prêter aide et assistance en cas de besoin. Une situation invraisemblable, qui voit les policiers terrorisés par les gangsters…

« Beaucoup de voyous ont cru que les Allemands allaient gagner la guerre et se sont engagés auprès d'eux par pur intérêt, analyse pour sa part un ancien patron de l'Office central de répression du banditisme, Lucien Aimé-Blanc. Les Allemands, eux, étaient intelligents. Ils savaient que la Gestapo ne pouvait pas lutter seule contre ceux qu'ils appelaient les "terroristes", en l'occurrence les résistants. Ils ne connaissaient pas le terrain, ne parlaient pas non plus la langue du pays qu'ils occupaient, alors ils ont utilisé les voyous. Ils les ont fait sortir de prison, leur ont permis de racketter les Juifs, de voler, et leur ont assuré une forme de couverture. Si l'Allemagne avait gagné la guerre, ils les auraient probablement liquidés, mais c'est une autre histoire. Certains voyous ont vu le vent tourner et se sont dit : "Ça va mal finir, mettons-nous avec la Résistance." Ceux qui n'ont pas pu s'improviser résistants ont fui vers l'Argentine, où ils se sont mis à faire du trafic de stupéfiants, en l'occurrence l'héroïne, couverts qu'ils étaient alors par le régime argentin. Cela ne les a évidemment pas empêchés de maintenir des relations avec ceux qui avaient choisi la Résistance et qui étaient désormais en place en France, notamment en Corse… »

« Les liaisons dangereuses s'épanouissent durant l'Occupation parce qu'il y a une confusion des pouvoirs, précise pour sa part l'historien Jean-Marc Berlière. Les Allemands, les résistants, chacun tire à hue et à dia et chacun a besoin des truands, dont la qualification professionnelle est irremplaçable. Il n'est pas rare en effet de voir les réseaux de la Résistance utiliser ces voyous qui les trahissent aussitôt en les dénonçant aux Allemands. »

Le mélange des genres rattrape également la Résistance, confirme le commissaire Charles Diaz : « Les Forces françaises libres ont elles aussi besoin de ces personnages pour procéder à un certain nombre d'opérations qu'elles ne sont pas en mesure de faire elles-mêmes. C'est trouble, c'est sale, et puis ça permet aussi de dire : "Ce n'est pas nous." Ça n'est pas officiel, si bien qu'en cas de pépin on pourra toujours reporter la responsabilité sur les voyous. Ces échanges de bons services arrangent tout le monde. »

Les cloisons entre le monde de la truanderie et le monde politique n'ont jamais été aussi peu étanches. La période est propice à l'inversion des valeurs, comme en témoigne cette scène survenue en août 1940 : prévenu de l'imminence d'une transaction douteuse, un inspecteur se rend sur les lieux pour capturer les trafiquants, sauf qu'il tombe sur l'équipe de la Carlingue, comme on appelle la Gestapo française, qui procède à l'arrestation du policier français et le remet aux Allemands, qui le jettent en prison. Les voyous tiennent le haut du pavé, avec les Allemands dans le rôle du juge de paix, des voyous rassemblés sous la bannière de cette Carlingue à la tête de laquelle a été installé un certain Henri Lafont, roi du bluff. Un rassemblement de bandits auquel prêtent main forte quelques policiers véreux directement recrutés en prison.

Ce modèle rodé pendant l'Occupation va resservir chaque fois que la France sera en danger, notamment pendant la guerre d'Algérie, ou que le gaullisme sentira le vent du boulet, notamment face aux communistes. Un modèle qu'illustrent merveilleusement les parcours de deux hommes : le gangster Jo Attia et le commissaire Blémant.

Jo Attia a été un membre à part entière de la bande de la Carlingue, avant d'être écarté par le « patron » et déporté dans un camp par les Allemands. Un camp dans lequel il a mis ses muscles au service des plus faibles, parmi lesquels un certain Edmond Michelet, futur ministre de la Justice, qui se proposera comme témoin de moralité chaque fois que Attia aura maille à partir avec un tribunal. Cette caution vaut de l'or à l'heure où le bandit s'acoquine avec une poignée de ses semblables ayant frayé avec les Allemands, Pierre Loutrel, dit « Pierrot le fou », et Georges Boucheseiche, alias « Jojo », pour monter le gang le plus retentissant d'après-guerre : le gang des tractions avant, qui multiplie les hold-up et semble jouir d'informations privilégiées venant du cœur du pouvoir, voire de la police elle-même.

Le commissaire Blémant, lui, est l'emblème de toutes les collusions et de toutes les opacités qui marqueront les scandales de la IVe et de la Ve République. Patriote, il a animé l'antenne de la DST, le contre-espionnage, à Marseille pendant l'Occupation. Une période durant laquelle il a noué de tels liens avec la truanderie marseillaise qu'il finira par démissionner pour devenir voyou lui-même. Il est en cheville avec le puissant clan des Guérini, sur fond de cercles de jeux, avant de passer du côté de la bande adverse, ce qui lui vaut de subir le sort des traîtres dans le milieu : il est assassiné.

Chapitre premier

La place Beauvau face aux liaisons dangereuses

Tous les anciens responsables de la place Beauvau n'ont pas nécessairement la langue de bois lorsqu'on évoque les trous noirs de la République, ces compromissions et autres liaisons dangereuses nouées dans les périodes troublées de l'histoire de France autour de la prostitution et des tapis verts, sans oublier ce creuset que furent les années de l'Occupation. Nous avons longuement interrogé deux d'entre eux, un cacique de la droite, Charles Pasqua, deux fois ministre de l'Intérieur (entre 1986 et 1988, Jacques Chirac étant Premier ministre, puis de 1993 à 1995, avec Edouard Balladur à Matignon), et un socialiste, Daniel Vaillant, qui occupa la fonction entre le 29 août 2000 et le 6 mai 2002 au sein du gouvernement de Lionel Jospin.

Charles Pasqua, après six mois d'hésitations, nous reçoit dans le cadre de la bibliothèque du Sénat, où le parrain de la droite française est comme chez lui, un mois avant sa disparition, le 29 juin 2015. Certes l'homme est affaibli physiquement et moralement depuis la mort de son fils Pierre, mais il n'a perdu ni son humour, ni sa pugnacité, encore moins son sens de l'esquive. Afin de ne pas braquer trop vite notre interlocuteur, le plus corse des ministres de l'Intérieur, de surcroît en prise avec la justice depuis de longues années, nous le questionnons donc sur la force des liens noués pendant la Résistance. Leur place, leur poids dans la vie politique française, Charles Pasqua les assume volontiers. Et les explique, lui qui a été arrêté à deux ou trois reprises pendant l'Occupation alors qu'il acheminait du courrier pour le réseau de la France libre auquel il appartenait, du côté de Grasse, sur la Côte d'Azur :

« Quand on a connu les difficultés de l'Occupation, les risques que cela comportait, les pertes que nous avons eues les uns et les autres, on ne peut pas passer ça par profits et pertes du jour au lendemain, dit-il d'emblée en roulant placidement les yeux et les "r". Les liens qui ont été noués à cette époque pèseront, oui, relativement lourd par la suite. Mais il y avait des choses assez amusantes. Moi qui étais un des responsables du SAC – un des responsables, c'est un peu excessif, mais enfin j'ai quand même été dans cette organisation, même si je ne voyais pas l'utilité d'avoir toujours des gros bras autour de soi –, j'étais en même temps un des responsables de la société Ricard. Et, à ce titre, également l'un des interlocuteurs du Parti communiste pour l'organisation de ses fêtes ! Ils savaient très bien qui j'étais et il n'y avait pas de problèmes… »

L'histoire de France vue comme un verre de pastis partagé entre frères d'armes devenus frères ennemis, Charles Pasqua est de ceux qui n'ont jamais rien renié. Au crépuscule d'une longue carrière qui l'a vu passer à côté d'un destin présidentiel, la seule chose qu'il a du mal à admettre, c'est que la République, notamment quand il codirigeait le SAC, se soit appuyée sur des voyous pour ses basses besognes.

« Je ne crois pas que l'on puisse dire que la République s'est appuyée sur les voyous, affirme sans ciller l'ancien ministre de l'Intérieur, avant de retomber sur ses pieds : La République s'est doté des moyens nécessaires lorsque son existence même était menacée, voilà. J'ai appartenu à un service de renseignement et d'action quand j'étais jeune, et si on m'avait demandé de faire certaines choses, je les aurais faites, mais la Libération a été une période difficile, assez trouble. Il y avait encore beaucoup de gens qui avaient collaboré avec l'ennemi et qui étaient en fuite… »

Que ses amis politiques aient recruté des gens du milieu pour combattre l'OAS [Organisation armée secrète] pendant la guerre d'Algérie, ce qui est l'évidence même, Charles Pasqua feint de l'ignorer. On tente une approche en biais :

« Peut-on faire une bonne police sans s'appuyer sur les malfrats, monsieur Pasqua ?

— On ne gagnera rien à traiter avec ce genre de personnages parce que s'ils vous rendent des services, ils vous en demanderont, réplique-t-il avec son inimitable accent provençal. Je ne crois pas que l'on ait le moindre intérêt à s'appuyer sur les éléments douteux. »

Une pause, puis il reprend :

« Je ne crois pas que ce soit une bonne démarche. Premièrement, c'est prendre une lourde responsabilité que de décider d'utiliser en dehors de la légalité un certain nombre de personnages, parce qu'un jour ou l'autre ceux-là seront susceptibles de vous demander de renvoyer l'ascenseur. Non, je ne crois pas que ce soit une bonne méthode… »

C'est dit, mais son allusion au SAC, cette police parallèle qu'il a portée, guidée, insufflée, nous a paru courte. François Mitterrand s'est-il égaré lorsqu'il a créé, au lendemain de son élection à la présidence en 1981, une commission parlementaire sur le SAC?

«Je pense qu'ils s'étaient fait une montagne eux-mêmes de tout ça. C'est vrai qu'il y a eu à la fin des agissements inacceptables, c'est comme ça, mais que croyaient-ils que c'était, le SAC? C'était un service d'ordre doublé d'éléments qui renseignaient un peu sur le fonctionnement du monde politique, rien de bien extraordinaire...

— Quel a été son point de départ?

— Je n'en sais rien, parce que je n'ai pas appartenu au SAC dès sa création. Je pense que les gens qui ont créé le SAC sous l'autorité de Jacques Foccart [le Monsieur Afrique du général de Gaulle] étaient en définitive beaucoup plus proches de l'Algérie française que du gaullisme pur et dur. À tel point d'ailleurs qu'ensuite, je ne citerai pas de noms car je n'en vois pas l'utilité, certains de ceux qui étaient à sa tête et qui ont essayé d'entraîner le SAC dans la dissidence par rapport au général de Gaulle ont été obligés de partir et ont été replacés en Afrique. Le SAC, en réalité, c'était des militants du mouvement gaulliste que le comportement des hommes politiques irritait profondément, dans la mesure où un certain nombre de ceux qui devaient toute leur carrière au Général se montraient surtout préoccupés par leur propre carrière. Ceux qui appartenaient à cette organisation, en toute circonstance, accorderaient la priorité au service du général de Gaulle, d'ailleurs ils s'y engageaient, et feraient en sorte de faire remonter un maximum de renseignements vers les dirigeants politiques.

— L'existence même du SAC ne témoignait-elle pas d'une certaine défiance vis-à-vis des services officiels ? Était-ce une espèce de police *bis* ?

— Non, ce n'était pas une police *bis*, elle n'avait aucun pouvoir. Elle n'avait que les pouvoirs que lui reconnaissaient les militants à l'intérieur de l'organisation. »

Un silence, puis Charles Pasqua fait une de ces concessions dont il a toujours été avare :

« En fait, il aurait mieux valu qu'il n'y ait pas de mélange des genres, voilà. »

Le rôle du Service d'action civique consistait selon lui à « préparer les réunions publiques » et à assurer leur bon déroulement. Ce qui n'était pas de tout repos à l'époque, il s'en souvient : « Quand on m'a demandé d'aller organiser à Grenoble la réunion entre [Pierre]

Mendès France et [Georges] Pompidou[1], j'aime autant vous dire que c'était vraiment du sport, d'autant que, souvent, les gens qui organisaient ces réunions n'avaient qu'une idée assez floue de la façon dont il fallait procéder. Je me rappelle qu'au moment où nous sommes sortis de ce meeting de Grenoble j'ai moi-même protégé Mendès sur lequel les gens crachaient. C'était aberrant. »

La politique, à l'époque, c'était un peu un sport de combat. Ce sont les choix mêmes du général de Gaulle, ses options politiques, qui l'ont obligé, selon notre interlocuteur, à s'entourer de gros bras.

« En 1949, raconte-t-il, de Gaulle avait commencé une sorte de marche triomphale à travers le pays et il est bien évident qu'un certain nombre de gens, notamment à gauche, ont considéré qu'il fallait faire en sorte que cette marche triomphale s'arrête. C'est la raison pour laquelle il y a eu à Grenoble des incidents sérieux, avec des responsables de notre propre service d'ordre qui n'avaient qu'une idée floue de ce qu'il fallait faire. Quand on a vu ce qui allait se passer, avec cette masse de gens qui arrivaient, on s'est arrangé pour que le général de Gaulle arrête son intervention, et bien nous en a pris, parce que, ensuite, il y

1. Respectivement leader du camp progressiste et de celui du général de Gaulle.

a même eu des échanges de coups de feu, si j'ai bonne mémoire. Ce n'était donc pas une promenade de tout repos ! Les communistes avaient beaucoup de gros bras et leur culture ne comportait pas une tolérance considérable envers les autres opinions, alors évidemment, les tensions ont été énormes. »

Charles Pasqua sera-t-il plus à l'aise pour parler de son prédécesseur place Beauvau, le socialiste Gaston Defferre, une vie ou presque à la tête de la mairie de Marseille ? Concédera-t-il qu'à son instar, formé dans le même moule que lui, celui de la Résistance, il a été largement aidé par des gangsters dans sa conquête de la mairie de Marseille ?

On le lance sur ce terrain, il semble alors davantage s'intéresser aux livres anciens qui peuplent la bibliothèque du Sénat :

« Est-ce un atout de bien connaître les voyous à l'heure de devenir ministre de l'Intérieur ?

— Il est certain qu'au lendemain de la Libération il y a à Marseille, parmi les gens qui ont participé à des actions de résistance, des gens qui par la suite flirteront avec le milieu ou y appartiendront, mais je ne crois pas qu'on puisse dire que Gaston Defferre était particulièrement lié avec eux… C'est vrai que les voyous, à Marseille, ça ne manque pas, comme dans toutes les grandes villes, mais je crois que François Mitterrand a choisi Gaston Defferre comme ministre de l'Intérieur davantage pour ce qu'il pouvait apporter sur le plan de la réflexion et de la réorganisation des pouvoirs publics. Et effectivement Gaston Defferre conduira une grande loi, c'est lui qui dotera la France de nouvelles conceptions dans le domaine de l'organisation des pouvoirs locaux...

— Quelles sont les qualités d'un bon ministre de l'Intérieur ?

— Un ministre de l'Intérieur doit être un bon organisateur, un bon diplomate et, dans le même temps, quelqu'un qui ait le sens du commandement et auquel, instinctivement, les personnels placés sous son autorité feront confiance, parce qu'il ne les décevra pas... C'est un poste difficile qui nécessite un certain équilibre.

— En 1993, la droite reprend le pouvoir. Qui revient à l'Intérieur ? Vous. Êtes-vous incontournable à ce poste ?

— Les gens me reconnaissaient une certaine compétence et, pour Jacques Chirac comme pour Edouard Balladur, c'était la solution de la facilité de me nommer. Moi je n'étais pas candidat. Ce qui est amusant, c'est que ce n'est pas Balladur qui m'a appelé, mais Chirac. Il m'a dit : "Il faut que tu sois le ministre de l'Intérieur." Je lui ai répondu : "J'ai déjà donné, j'ai épuisé les joies et les délices, il faut appeler quelqu'un d'autre", il a insisté : "Non ce n'est pas possible, il faut que ce soit toi." J'ai accepté, mais en posant certaines conditions : "Premièrement, je souhaite être en même temps ministre de l'Aménagement du territoire, ça me permettrait de renouer un peu les fils de ce qui a été rompu quand le général de Gaulle a été battu. Ensuite, il est bien évident que le ministre de l'Intérieur doit pouvoir contrôler les problèmes d'immigration, donc il faut que la population soit dans sa compétence." Balladur m'a dit : "Ce n'est pas possible, parce que c'est vraiment la partie de Simone Veil." J'ai répondu : "Laissez-la à Simone Veil, c'est bien, moi je suis pas candidat"...

— Vous avez revendiqué la notion de "premier flic de France".

— Ce n'est pas comme ça qu'il faut la poser, la question (*sic*). Je crois qu'il faudrait que vous demandiez aux flics : "Un bon ministre de l'Intérieur, c'est quoi ? c'est qui ? comment vous le voyez ? et quel a été d'après vous au cours de ces vingt dernières années le meilleur ministre de l'Intérieur ?" Vous devriez le faire, vous seriez étonné ! Moi, je ne me suis pas senti seulement comme étant en haut de la pyramide, d'ailleurs je ne peux pas avoir la même réaction que les autres pour une raison simple : je suis d'une famille de flics, toute ma famille était dans la police, mon père bien entendu et la plupart de ses frères. Quand ils ont quitté la Corse, c'était pour entrer dans la police, donc quand je suis arrivé au ministère de l'Intérieur, j'avais déjà tellement entendu parler de ces problèmes, d'autant qu'il n'y avait pas un très grand écart entre mon père et moi, vingt ans, c'est peu.

— Est-ce plus facile de contrôler la police quand on est de droite ou quand on est de gauche ?

— Oh non ! Je n'ai jamais considéré que c'était chose acquise. De toute façon, si vous voulez pouvoir diriger convenablement le ministère de l'Intérieur, il faut que les gens vous fassent confiance. Et ils ne vous feront pas confiance parce que vous avez un titre, mais parce que dans un certain nombre de circonstances vous aurez une attitude qui correspond à celle qu'ils attendent que vous ayez.

— La police a-t-elle besoin d'un père ? D'un chef ?

— Je crois qu'elle a besoin d'un chef, ça c'est clair, mais les policiers ont surtout besoin de confiance dans leur ministre de l'Intérieur et la confiance, ça ne se décrète pas. Quand vous avez un certain nombre de problèmes difficiles, délicats, quand vous avez des prises d'otages, la prise d'otages des enfants [dans une école de Neuilly-sur-Seine, le 13 mai 1993], celle de l'avion d'Air Algérie [le 24 décembre 1994], les gens d'Action directe, ça fait beaucoup, et c'est dans ces occasions que les policiers jugent le ministre de l'Intérieur. Ils voient s'il assume sa responsabilité ou s'il a tendance à jouer les filles de l'air et à laisser les autres se débrouiller. C'est un poste casse-gueule, il ne faut pas se faire d'illusions ! »

C'est le domaine des jeux, cercles et casinos, qui a plombé judiciairement la fin de la carrière de celui qui fut l'un des hommes politiques les plus puissants de la deuxième moitié du XXe siècle. Pour y venir, sachant que Charles Pasqua n'a pas spécialement l'intention d'aborder le sujet, on effectue un détour par la Corse et cette « corsitude » qui lui colle à la peau et qui aura si souvent prêté à sourire. L'île de Beauté a-t-elle été pour lui un dossier prioritaire quand il était place Beauvau ?

L'homme politique se fait soudain plus prudent encore, à l'heure d'aborder ce sujet parmi les plus sensibles :

« La Corse me préoccupait dans la mesure où depuis Michel Maurice-Bokanowski[1], mes compatriotes avaient pris l'habitude de faire parler la poudre

1. Secrétaire général du RPF pour la région parisienne de 1948 à 1951, il devient député de la Seine en 1951, puis secrétaire d'État à l'Intérieur en 1959...

un peu trop souvent, répond-il. Je ne parle pas des assassinats entre eux, qui n'étaient pas tellement courants à l'époque, c'était surtout le fait qu'une partie des élus corses était préoccupée par l'évolution des îles voisines. Ils avaient vu ce qu'avait donné la Sardaigne et considéraient qu'il ne fallait pas laisser la Corse devenir les Baléares, ils n'ont donc pas hésité à faire parler la poudre, à faire sauter un certain nombre de résidences, d'immeubles, etc., ce qui était assez désagréable en définitive, et le ministre de l'Intérieur, parce qu'il est corse, connaît un peu mieux les problèmes que les autres, mais il est devant des choix. Sur qui s'appuyer ? On arrive, on est plein d'illusions. Et puis, assez rapidement, on s'aperçoit que les choses sont plus compliquées qu'on imagine. Mes compatriotes, s'ils étaient assez facilement portés sur la destruction des résidences qui ne leur plaisaient pas, faisaient dans le même temps un usage immodéré de l'appel aux subventions diverses et variées, et tout ça ne pouvait que déboucher sur une situation difficile à gérer. Un ministre de l'Intérieur corse n'est pas forcément mieux placé qu'un autre quand on pense qu'il sera plus facilement abordé par des compatriotes, mais quelles que soient les réflexions que l'on peut conduire, les choses ne sont pas simples… »

Notre enquête sur les relations incestueuses qui se sont développés sous l'égide de la République porte évidemment sur la gestion des cercles de jeux parisiens par le ministère de l'Intérieur. Plusieurs de nos témoins rapportent que les fameux cercles, aujourd'hui tous fermés ou presque, ont été concédés à de grandes figures corses en remerciement pour leur engagement dans la Résistance, notamment à la famille Francisci… Un sujet à propos duquel Charles Pasqua va clairement botter en touche :

« Je n'en sais rien, je n'étais pas au ministère de l'Intérieur et je me suis pas intéressé directement à ça. Les Francisci avaient d'abord un pied dans le jeu plus que dans la politique, puis un des frères a effectivement choisi la partie politique. Je les ai connus, mais sans plus.

— Vous avez veillé à prendre vos distances ?

— Moi je n'ai pas besoin de prendre de distance, je n'avais pas l'habitude de les fréquenter outre mesure.

— Pourquoi les Corses sont-ils aussi présents dans le domaine du jeu ?

— Parce que les Corses sont obligés, pour faire face à leur propre développement, de quitter l'île. Ça ne vous a pas échappé, en dehors des chèvres, des châtaigniers etc., je ne vois pas ce qu'ils pourraient trouver d'autre. Alors il y a un certain nombre de secteurs dans lesquels les Corses se sont plus particulièrement dirigés, et parmi ces secteurs figure notamment l'hôtellerie, et je pense que c'est au travers de l'hôtellerie qu'un certain nombre d'entre eux sont arrivés aux jeux.

— Comment avez-vous géré le monde des jeux lors de vos deux passages place Beauvau ?

— Je n'ai impulsé aucune politique. J'ai laissé les choses se dérouler comme elles se déroulaient, mais, personnellement, je ne m'en suis pas occupé. Personne d'ailleurs ne m'a rien demandé. J'avais eu l'occasion d'aller une fois ou deux dans ces établissements, parce que j'avais été invité à déjeuner ou à dîner, mais, en réalité, j'avais peu d'informations sur ce monde et je pense qu'au ministère de l'Intérieur il n'y en avait pas beaucoup non plus qui suivaient ces questions.

— Avez-vous une position morale par rapport au jeu lui-même ?

— Moi je n'ai jamais joué, je n'ai jamais été attiré par le jeu et je savais très bien qu'il y avait des gens qui y laissaient jusqu'à leur chemise, ça c'est clair. Je n'ai pas non plus mené de politique particulière. »

On insiste. On veut poser une nouvelle question, aborder cette affaire d'autorisation accordée à des casinotiers, moyennant finance, à en croire les accusations portées par la justice, mais celui qui conseille aujourd'hui Charles Pasqua en matière de communication ne l'entend pas de cette oreille : il nous faut changer de sujet, sinon...

Reste le dernier thème de notre enquête, les complicités territoriales nouées autour de la drogue, la constitution des ghettos à la française. Certains élus, et pas seulement à gauche, ont été tentés au cours des dernières décennies d'acheter la paix sociale dans les cités, ce qui a eu pour conséquence de permettre au trafic de drogue de prospérer. Qu'en pense Charles Pasqua en tant qu'ancien ministre de l'Intérieur ?

« C'est une vraie question, parce qu'on peut s'interroger sur le fait de savoir si, en définitive, on n'aurait pas eu intérêt dans certaines limites à légaliser le cannabis..., lâche notre interlocuteur d'entrée de jeu, conscient de l'effet qu'une telle phrase, dans sa bouche, peut produire.

« Je ne crois pas du tout que la gauche ait mis sur pied une politique pour acheter la paix dans les banlieues, mais en réalité, c'est ce qui s'est passé, poursuit-il. Les faits sont là. Et les choses ont tellement prospéré que lorsque le gouvernement a voulu intervenir dans les banlieues, il aurait fallu rassembler de tels moyens et courir des risques tout à fait considérables… Je pense qu'il y avait une autre politique à mener dans les banlieues. Il fallait faire beaucoup d'efforts pour donner à ces jeunes les mêmes possibilités qu'aux autres, il fallait faire un gros effort dans le domaine de l'éducation, pas seulement en nommant des professeurs, des instituteurs.

— Diriez-vous que lorsqu'on est maire, préfet, ministre, c'est mieux de ne pas avoir d'émeutes, quitte à peut-être fermer les yeux sur certaines dérives criminelles ? La gauche est- elle, à vos yeux, coupable de ça ?

— Oui, c'est probable. La gauche était sous la pression de la droite, qui lui reprochait dans le domaine de l'insécurité un certain laxisme. Mais, dans le même temps, lorsqu'on laisse les choses se développer, c'est très difficile après de pouvoir rétablir le pouvoir de la loi.

— Un certain nombre d'élus locaux n'hésitent plus à recruter des caïds pour se faire élire, comment analysez-vous cette évolution ?

— Je ne crois pas que ce soit une bonne méthode, parce que, finalement, le risque est grand de voir une sorte de gangrène se développer. Faire en sorte que l'on donne une chance à un certain nombre de gens qui autrement seraient condamnés à végéter toute leur vie, je trouve que c'est bien, mais pour ça il faut de véritables saints laïcs !

— Il y en a en France ?

— Oh ça doit exister oui, enfin j'en connais quelques-uns !

— Ça ne vous fait pas peur pour l'avenir de la vie politique en France ?

— Ah oui, mais il y a des gens que les scrupules n'étouffent pas ! Encore faudrait-il que les mouvements politiques s'en rendent compte et prennent un certain nombre d'initiatives pour ne pas laisser se développer ce genre de choses, mais pour ça, il faut la foi. On ne peut rien faire sans conviction, sans enthousiasme. Ce qui me renverse à l'heure actuelle, c'est de voir, notamment parmi le personnel politique, cette espèce d'état second. Je participais hier après-midi à une réunion d'élus locaux, des sénateurs et autres, qui disaient : "Il faudrait dire à ceux qui vont être nos candidats dans deux ou trois ans…" J'ai dit : "C'est d'abord vous qui devez dire ce que vous voulez, il ne s'agit pas d'attendre qu'ils vous disent, eux, ce qu'ils ont l'intention de faire puisque vous êtes au contact de la réalité. C'est à vous de dire ce que vous voulez, ce que vous êtes prêts à accepter, ce que vous refuserez." Ils ont l'air un peu dépassés.

— Les ghettos sont-ils tellement enkystés qu'on ne peut plus rien faire?

— Non, je ne crois pas, mais il faut véritablement se décider à investir, à casser le processus actuel. Je l'ai fait, pourquoi ne le ferait-on pas à nouveau? Quand j'ai fait venir à mes côtés l'architecte [Roland] Castro, je me suis fait engueuler par mes propres amis. "Alors, tu trouves que des gens à gauche?" Mais je m'en fous qu'il soit à gauche, il est communiste, eh bien il est communiste! ça le regarde, moi je ne le prends pas en tant que communiste, je le prends en tant qu'architecte, parce qu'il a une certaine perception de la banlieue, de ce qu'on peut faire, mais c'est sûr qu'il faut une volonté, une persévérance extraordinaire. Dans ce groupe d'immeubles que nous avons cassé, où nous avons ouvert des rues, les premiers temps, quand on venait de refaire une cage d'immeuble, dans la nuit, les voyous la goudronnaient. Alors on m'appelait, on me disait : "C'est épouvantable, il faut arrêter, ça fait deux fois que ça arrive", et je répondais : "On n'arrêtera jamais. On les aura." Mais encore faut-il le vouloir!

— Faut-il instaurer une sorte de rapport de force pour que les caïds ne contrôlent pas les quartiers demain ?

— Il faut lutter contre les trafics et surveiller de près ceux que vous appelez les caïds, les mettre hors d'état de nuire et ne pas s'entendre avec eux. Si on s'entend avec eux, on rentre dans le même processus que celui qui avait conduit à Al Capone à une certaine époque. On ne peut pas tolérer ça. Je crois d'ailleurs qu'en ce qui concerne ces problèmes de sécurité il y aurait intérêt à ce qu'il y ait un accord entre les différentes formations politiques, entre la gauche et la droite. Il devrait y avoir un accord sur ce qu'il convient de faire, puis ensuite s'en donner les moyens, mais on ne va pas résoudre ça… »

Fin de l'entretien, qui nous laisse forcément un goût d'inachevé, puisque, quelques semaines plus tard, Charles Pasqua emportera ses plus lourds secrets dans la tombe.

***

Notre second interlocuteur nous reçoit dans son fief historique : la mairie du XVIIIe arrondissement où il conserve un bureau, bien qu'il soit désormais sans mandat électoral.

Daniel Vaillant y a fait ses classes politiques en même temps que quelques figures du socialisme, dont Lionel Jospin, qui lui proposera le poste de ministre de l'Intérieur.

Lui aussi a connu le temps où tous les coups étaient permis sur le pavé, au sens propre, comme en témoigne ce premier souvenir qui remonte à la campagne des législatives de 1967.

Jeune militant, Daniel Vaillant accompagnait ce soir-là Claude Estier (ténor socialiste de l'époque) dans le cadre de la Convention des institutions républicaines de François Mitterrand, pour une réunion publique dans une école de la rue Damrémont (XVIIIe).

« Le préau était plein à craquer lorsque le député sortant, Alexandre Sanguinetti, un gaulliste dont on disait qu'il avait des méthodes assez musclées, débarque entouré d'hommes aux cheveux courts pour porter la contradiction à François Mitterrand, ce qui se faisait à l'époque, raconte l'ancien ministre. Je ne vais pas faire comme Coluche qui disait "il a une mine pas tibulaire mais presque", mais, franchement, ils foutaient la trouille, ces gens du SAC ! Ils étaient manifestement là pour jouer le rapport de force et en imposer à l'adversaire. C'était mal connaître Mitterrand qui avait vécu d'autres périodes et ne s'est pas laissé impressionner par la joute électorale. J'ai vu ce soir-là ce qu'était la force qui n'est pas nécessairement celle du droit. »

Le ton est donné : à l'époque, on en vient souvent aux mains en marge des meetings, ce qui justifie le recrutement de gros bras, souvent issus de la voyoucratie.

Une autre fois, en 1969, Daniel Vaillant et ses camarades socialistes affluent vers cette mairie du XVIIIe arrondissement pour célébrer la victoire du « non » au référendum du général de Gaulle sur la question régionale et sénatoriale.

« On est tombés sur des militants qui ont fait aussitôt le coup de poing, se souvient-il. Un militant, Guy Dufau-Joël, a même eu le bras cassé. Le moment le plus terrible, c'est quand on s'est mis à chanter *La Marseillaise*, qui était confisquée par le pouvoir de l'époque. Cette confrontation montrait que ces gens avaient beaucoup à apprendre de la démocratie, du droit et donc de la liberté. »

La guerre des affiches faisait rage à l'époque, et ce n'était pas vraiment bon enfant, comme ce jour où Daniel Vaillant décide d'arracher les affiches qui recouvrent celles que lui et ses amis venaient de coller. Un ancien mercenaire surgit à cet instant, recruté par l'adversaire du moment, Roger Chinaud.

« Je m'en suis pris plein la figure, raconte Daniel Vaillant. Je me vois encore en petit costume bleu marine, par terre. Honnêtement, je n'avais pas la force physique, d'ailleurs il ne fallait pas lutter parce que j'en aurais pris plus. C'était l'époque où à droite et à l'extrême droite, avec les réseaux Occident et Renouveau, des gens jouaient plus du muscle que de raison. La violence n'est pas un moyen de combat sur le plan électoral, je l'ai toujours réprouvée, exécrée. Ces barbouzes, ces anciens mercenaires n'exercent leurs capacités que par la force, l'arme parfois, le coup de poing américain, et ça il faut le combattre de toutes nos forces. Ce n'est pas un débat droite-gauche, c'est un débat entre des Républicains qui croient à la force du droit, à la loi, à la liberté, donc à la sécurité d'aller et venir, de s'exprimer, la liberté d'opinion, qui ne supportent pas qu'on veuille faire taire les gens, qu'on veuille les dominer par la violence et par le muscle, et les autres.

— Les périodes de guerre ne poussent-elles pas le pouvoir à s'affranchir de la loi et à recourir aux "polices" dites parallèles ?

— Ce n'est pas moi qui vais reprocher à des hommes, des femmes, pendant l'Occupation, d'avoir pris le maquis pour mener des actions face aux milices, à la Gestapo, à ces forces d'occupation qui usaient et abusaient du droit, y compris du droit de tuer. On peut comprendre qu'à un moment, au nom de la liberté, au nom de la Résistance, on sorte des règles démocratiques, pour peu qu'on puisse considérer qu'il y avait une démocratie sous Vichy... Puis, il y a eu la guerre d'Algérie, avec l'utilisation de la torture, la gégène comme on disait, cette sale habitude d'utiliser la force, le non-droit pour l'emporter, et ça, je pense que c'est détestable.

— Avec l'arrivée de la gauche au pouvoir en mai 1981, n'y a-t-il pas une forme de revanche à prendre sur des décennies de pouvoir gaulliste ?

— Revanche, je n'en sais rien, changement oui. Il faut changer la donne parce qu'on voit bien les dérives qui se sont accumulées, qui ont parfois conduit à des scandales politiques, à des suicides, vrais ou faux. On avait connu pendant la guerre d'Algérie les attentats du FLN [Front de libération nationale], à la Goutte-d'Or notamment, mais aussi les exactions de l'OAS, les plasticages, et ça vous vaccine contre cette forme de rapport de force qu'on veut imposer aux autres. 1981, c'est une campagne extrêmement pacifique, la gauche vient au pouvoir par les urnes et la volonté du peuple. Il n'y a pas de morts, pas de violence...

— Pourquoi François Mitterrand choisit-il, en 1981, de confier la place Beauvau à Gaston Defferre ?

— Gaston Defferre était un homme courageux physiquement, son passé de résistant en Provence en attestait. Mitterrand s'est appuyé sur cette génération qui avait connu les heures noires de l'Occupation, la guerre et la Résistance, tout en permettant à une nouvelle génération d'accéder aux responsabilités. Je n'y étais pas, je suis né en 1949, mais ces liens de confiance et d'amitié noués dans la clandestinité et le risque ont longtemps pesé. Defferre et Mitterrand étaient des hommes physiques. Le lendemain du coup d'État organisé par le général Pinochet contre Allende, au Chili, en 1973, Mitterrand a pris la tête de la manif qui est arrivée devant le Quai d'Orsay. Il a continué à avancer, seul, et les CRS et les gendarmes mobiles qui barraient la voie se sont écartés. Pas très grand, pas vraiment athlétique, il avait cette capacité à prendre des risques, comme il l'avait fait pendant la Résistance, quand il portait le nom de "Morland" et s'était retrouvé en camp. Cela forge des liens que l'on peut difficilement imaginer aujourd'hui.

— Pensez-vous qu'il soit nécessaire de combattre le crime avec les moyens des voyous ?

— Je ne considère pas qu'il faille pactiser avec le diable, et comme je suis par ailleurs athée, n'ayez pas d'inquiétude… Je connais certaines pratiques dont on disait qu'elles étaient indispensables, les informateurs, les indicateurs, les “tontons” qu’on essaie de protéger pour avoir des renseignements. Je ne suis pas tombé de la dernière giboulée. Si c’est une manière d’avoir des infos pour combattre le crime organisé, le proxénétisme, le trafic de drogue, il faut l’accepter, mais il faut être en capacité de rendre des comptes à l’autorité et ne jamais travailler en dehors des clous. Tout comportement qui n’est pas conforme à l’État de droit doit être sanctionné, autrement le citoyen est menacé et il perd confiance. Une police qui s’exonère de la règle, de la loi, est une police qui se perd. Une police dont on a peur ne peut pas être efficace !

— Notre enquête fera un détour par la Corse et la manière dont cette île a été gérée par le pouvoir central au fil des ans. Pour vous, l’État français s’est-il parfois compromis ?

— Certains ont pu penser qu’il fallait faire avec une façon de vivre, des coutumes, je pense que ce n’était pas rendre un grand service à la Corse. Fermer les yeux sur des conférences de presse clandestines tenues dans le maquis, par exemple, ce n’est pas une bonne chose. Il faut casser ces logiques mafieuses qui ont plus à voir avec le combat des voyous qu’avec le combat politique.

— Le dernier sujet sur lequel nous voudrions vous entendre, c’est celui des “territoires perdus de la République", comme on les appelle. La tentation a souvent existé, notamment à gauche, votre camp, d'échanger une forme de paix sociale avec les caïds qui gèrent les territoires dédiés au trafic de stupéfiants. C'est une solution ?

— Quand Nicolas Sarkozy, ministre de l'Intérieur, disait s'en remettre à un imam de Strasbourg pour ramener la paix dans un quartier, il avait tout faux. Ce n'est pas à un imam d'être responsable de l'ordre public, c'est à la justice et au préfet sous l'autorité du ministre de l'Intérieur. On ne doit jamais déléguer l'autorité de la République à des groupes religieux, à des associations. Travailler avec elles, oui, déléguer un pouvoir, non. Quant à cette économie des caves, avec son recel, ses trafics, je pense que ça détruit des cités, des banlieues, des villes. Je suis moi-même allé dans des endroits où les policiers disaient : "Faites attention, monsieur le ministre, vous pouvez recevoir une Cocotte-Minute sur la tête, nous la semaine dernière on l'a reçue à nos pieds." Il ne faut pas laisser un centimètre carré de la République hors de la République. L'État de droit doit l'emporter, c'est un rapport de force. Il faut aussi redonner une espérance à ces jeunes, ce qui veut dire une formation, et les remettre dans le droit chemin, comme on disait dans le temps. Ça prend du temps, mais si on baisse les bras, c'est pire que tout, parce que alors on rejoint une certaine vision américaine qui n'est pas la mienne, c'est-à-dire qu'on laisse les quartiers à une forme de communautarisme qui se substitue à l'État de droit. Et ça, je suis résolument contre.

— Si l'État légalise le cannabis demain, comme vous l'avez publiquement souhaité, ne court-il pas le risque de se retrouver face à une révolte dans les banlieues, soudainement privées de cet énorme apport financier ?

— Je sais qu'un dealer a condamné ma proposition parce qu'elle reviendrait à lui couper les vivres. Est-ce que l'État doit être complice d'une économie parallèle clandestine qui par ailleurs alimente des réseaux que l'on combat sérieusement ? Je dois dire que cela m'interpelle. Un économiste avait un jour observé que le travail au noir était utile, dans la mesure où il donnait du boulot à ceux qui n'en ont pas. C'est une autre vision du droit du travail, du contrat de travail, qui pour moi est un acquis social qu'il ne faudrait pas défaire trop vite au nom d'un réalisme qui nous pousserait à dire : "Écoutez, vous trafiquez, vous empoisonnez le monde, vous êtes un gros problème pour la santé publique, mais puisque vous faites vivre vos réseaux, votre famille, continuez..." Je ne suis pas sur cette logique. Je préfère le droit, la loi et qu'on s'y tienne, mais, parfois, ça ne marche pas, comme avec le cannabis, où on est face à une consommation de masse d'un produit interdit. C'est pour cette raison que je pense qu'il vaudrait mieux que le cannabis soit traité comme l'alcool, qui est à la fois autorisé, réglementé, vérifié, plutôt que comme un produit qu'on ne peut pas empêcher d'être diffusé, importé, magouillé.

— On voit dans certaines communes des politiques pactiser avec d'anciens caïds pour se faire élire, qu'en pensez-vous ?

— Ceux qui pactisent avec les tenants du non-droit pour réussir échoueront. Vous savez, quand on se présente aux élections, on n'est pas obligé d'être élu ! Ou alors on s'y prend à deux fois, trois fois. On peut être intelligent, on peut mettre du temps, on peut essayer d'approcher le problème par la conviction, mais jamais en pactisant avec le non-droit, avec la délinquance, avec la criminalité, parce que, après, on ne se relève plus ! Dans le quartier de la Goutte-d'Or, à Paris, on a fermé les hôtels de passe, puis éradiqué l'habitat insalubre, mais il y a eu des îlots de résistance. Des gens s'opposaient à cette rénovation, défendant leur territoire, leur business, on leur a répondu État de droit, intérêt général, et nous n'avons jamais renoncé. C'est parfois long, mais il faut tenir bon. Pactiser, c'est la facilité. Je n'ai jamais considéré qu'un voyou pourrait régler les problèmes que la ville et l'État ne parviennent pas à régler. »

Chapitre 2

La République vue par les gangsters / 1 : « On y est allés gaiement »

Laissons un instant les politiques et leurs mots généralement bien pesés pour donner la parole à un vrai gangster, le premier de la série puisqu'ils sont six à intervenir dans ces pages : William Perrin.

Né au Havre en 1931, dans un milieu ouvrier, il a commis ses premiers vols en se faisant embaucher comme docker à la journée, à l'âge de 14 ans. Il est devenu proxénète en fournissant des filles aux militaires américains lors du débarquement, alors qu'il n'avait même pas 15 ans. Il a poursuivi dans cette voie à Paris, avant de devenir l'un des meilleurs spécialistes du chalumeau et d'écumer banques et supermarchés dans toute la

France, et bientôt toute l'Europe. Installé à Buenos Aires dans les années 1960, le « Grand William », comme on le surnommait, a également été l'un des acteurs les plus dynamiques de la French Connection.

Survivant de la pègre à la française, il ne porte pas un regard tendre sur ceux de ses « collègues » qui ont pactisé avec le pouvoir et ses représentants, mais il les a vus à l'œuvre, de près. L'homme, au seuil de sa vie et « rangé des voitures » par obligation (le physique ne suit plus), nous reçoit dans son appartement parisien, propre et ordonné mais sans luxe tapageur, l'heure est aux économies avec une vie passée sans compter. « C'est la pauvreté qui m'a poussé vers le crime, affirme d'emblée William Perrin, qui martèle avec conviction : Si j'étais né riche, je n'aurais jamais fait le voyou. Après on n'a plus rien à voir avec les gens ordinaires. »

Sa gouaille est rugueuse et déterminée, on l'écoute comme on regarderait un film en noir et blanc. William Perrin classe les mortels en deux catégories : les gens normaux (les « caves ») et les voyous, des gens « à part ». Des gens qui ont des facilités financières, pour commencer. « Tu as de l'argent, tu peux faire comme tu veux, dit-il. J'ai beaucoup voyagé. J'ai fait toute l'Amérique du Sud, l'Amérique du Nord. J'ai eu une vie de milliardaire. Sans souci, sans impôts, sans rien du tout. C'est une vie libre. Il n'y a pas de chefs dans la voyoucratie, contrairement à ce que disent les poulets. Si c'est pour avoir un chef, c'est pas la peine, autant aller à l'usine ! »

Il avait 14 ans, au Havre, quand les soldats américains ont débarqué pour libérer la France. « Si j'avais été plus vieux, dit-il, j'aurais certainement fait du marché noir en grosse quantité. J'en aurais touché, de l'oseille ! »

De grande taille, il ne fait pas son âge : le voilà embauché comme barman dans le cercle des officiers. C'est ainsi qu'il a appris son premier métier, mais laissons-le raconter : « Tous ces Américains qui sortaient des bateaux, il fallait bien qu'ils baisent, quand même ! Dans tous les ports du monde, il y a des tapins pour les marins. J'allais leur chercher des gonzesses. Elles me filaient un petit billet, les Américains aussi. »

Du rôle joué par les voyous pendant l'Occupation, du moins par ceux qui ont fait le choix de « marcher avec la Gestapo », William Perrin n'a pas une très haute opinion. Il garde un souvenir précis du manège qui se jouait : ceux qui « marchaient avec les Allemands » échappaient à la police française. Non seulement les « condés » [flics] ne pouvaient pas les arrêter, mais « ce sont eux qui arrêtaient les condés ». « Ils avaient la mainmise, poursuit le Parisien d'adoption. Ils avaient l'impunité, ils pouvaient toucher de l'argent comme ils voulaient. Les Allemands les laissaient faire. C'était les rois. Ils fauchaient comme ils voulaient, les Allemands s'en battaient les couilles (*sic*). »

Il y a une justice, puisque « beaucoup ont été marron [arrêtés] à la Libération » , mais la période laisse des traces, ce gangster patenté le confirme. « À la Libération, tout le monde était dans les FFI [Forces françaises de l'intérieur] ! Les gendarmes étaient mal placés, eux qui avaient arrêté tous les Français cachés pour échapper au travail obligatoire. Je croyais qu'on allait les fusiller, mais ils avaient tous le brassard ! C'est à mourir de rire, mais c'est la vie. Plusieurs fois, quand ils m'ont arrêté, je leur ai rafraîchi la mémoire : "Tu fermes ta gueule, toi, parce que, pendant la guerre, t'as fait pire." En général, ils baissaient la tête, parce que c'était la vérité. »

Tous les voyous n'ont cependant pas trahi la France, il y en a même qui étaient du « bon côté », comme le fameux Jo Attia, dont William Perrin rappelle le parcours (et ses conséquences) : « Il a été déporté en Allemagne, comme politique. C'est là qu'il a connu des résistants, dans les camps. Il a aussi croisé des gens des services secrets, qui vont le prendre en main en sortant. Les services secrets vont même se servir de quelques voyous qui avaient collaboré mais qui n'ont pas été exécutés, notamment pendant la guerre d'Algérie, ou plus tard pour contrer les séparatistes corses. Attia, lui, a pu ouvrir des bordels à Abidjan, en Côte d'Ivoire, c'était encore français à ce moment-là. »

On insiste. On bouscule (au figuré) l'ancien gangster pour savoir s'il n'a pas, un jour, lui aussi, « marché » avec les services secrets. « Il y en a un qui m'a demandé, confie-t-il, avec la ferme volonté de marquer les frontières, mais ça ne m'intéressait pas. Toute ma vie, j'ai lutté contre les poulets et les indics, je ne vais pas me mettre indicateur ! J'ai des principes, quand même ! On ne peut pas courir deux lièvres à la fois. Moi, je ne peux pas balancer des amis, ce sont des choses qui ne peuvent pas se produire. Je n'ai jamais basculé ! Ils m'ont même sorti de prison une fois pour me proposer un arrangement, j'ai dit : "Allez vous faire baiser ! "J'aurais pu sortir de prison, surtout que j'étais au QI [quartier d'isolement] de Fleury, mais j'ai fait ma prison. J'ai pris seize ans, j'en ai fait treize sur seize. Ceux qui basculent sortent et continuent leurs trafics. Ils sont intouchables.

— Comment cela se passe dans ces cas-là ? Ils viennent vous chercher en prison ?

— Les condés m'ont fait sortir pour la journée. Ils m'ont proposé d'aller au restaurant avec eux. J'ai dit oui pour le restaurant. J'ai mangé, j'ai bu, mais j'ai tenu ma position : je ne collaborerai jamais. On n'y va pas de bon cœur, en prison, mais quand on y est, il faut savoir la faire. Ça va te donner quoi de balancer des amis qui ont travaillé avec toi ? »

Quand William Perrin débarque à Paris, en 1953, les proxénètes tiennent le haut du pavé, souvent en cheville avec la police. « Les voyous préféraient tous faire le mac parce que les peines étaient moins lourdes que pour un braquo [braquage]. Il y avait plein d'hôtels de passe, rue Saint-Denis, rue Blondel, dans les Halles, à Belleville, à Vincennes… Les macs portaient des chevalières au doigt, des costumes-cravates et ils étaient aux courtines [les champs de courses] avec des jumelles tous les jours, pour suivre les chevaux. Le soir, ils allaient flamber dans les cercles de jeux au volant de leur voiture américaine, décapotable pour les gonzesses. Et, pour ne pas être marron, ils balançaient. Ils filaient aussi de l'oseille aux condés qui fermaient parfois trois ou quatre chambres pour la forme. Ils marchaient main dans la main. Le commissaire Jobart, patron d'une brigade au Quai des Orfèvres, me le répétait à chaque fois : "Prends-toi cinq ou six gonzesses et on te fait plus chier !" Il en avait marre de se faire engueuler à cause des coffiots [coffres-forts] qu'on vidait.

— Dans cette décennie qui a suivi la Libération, les voyous n'avaient-ils pas une longueur d'avance sur la police ?

— Après la guerre, les poulets ont été longtemps dépassés par les événements. Cela s'est poursuivi avec la guerre d'Algérie, ils étaient occupés avec les Arabes et l'OAS, nous, on était tranquilles. On y est allés gaiement ! Après, ils ont vite repris le dessus. J'ai quand même été mis sur écoute dès 1963, à l'époque on n'était pas très nombreux à faire les grands vols. Il n'y avait pas de fourgons postaux, les facteurs étaient attaqués les jours de mandat, il suffisait de les braquer et de leur prendre leur valise, vu qu'ils n'étaient pas armés. Et puis il y avait la paye qui arrivait tous les samedis dans les usines…

— Vous n'aviez pas besoin de la police pour faire vos coups, contrairement à certains de vos collègues ?

— Les affaires, on avait besoin de personne pour les monter. Il faut les chercher soi-même. Et puis je n'ai jamais donné d'oseille aux poulets. Je vais me mouiller pour toucher des sous et je vais en filer aux condés ? Jamais de la vie ! Mon truc, c'était les coffiots et les chambres fortes. On gagnait beaucoup d'argent. On faisait pas le coffre du boucher du coin, on s'en prenait aux banques.

— Comment a évolué le milieu des proxénètes après la fermeture des maisons closes, au lendemain de la Libération ?

— Quand les bordels ont fermé, les vieux macs ont ouvert des hôtels de passe. Ça tournait à tout-va. Ils avaient jusqu'à quarante gonzesses par hôtel. Chacune faisant quinze à vingt passes par jour, ça en faisait de l'oseille! Les proxos filaient la dîme aux condés, ils balançaient aussi certainement, comme ça ils étaient tranquilles. Les poulets fermaient trois ou quatre chambres, pour la frime, mais tout le monde touchait. Tout le monde s'y retrouvait, finalement. Il n'y avait pas que les hôtels qui étaient couverts, il y avait aussi les boîtes à partouzes, notamment au bois de Vincennes. En échange, ils donnaient des renseignements à la mondaine [la brigade des mœurs]. »

C'est dans ce contexte qu'interviennent l'enlèvement et la disparition définitive de l'opposant marocain Mehdi Ben Barka, en octobre 1965, à Paris. Une opération mêlant les services secrets français, des policiers, des hommes politiques, mais aussi des gangsters, main-d'œuvre recrutée moyennant finance. Parmi eux un certain Georges Boucheseiche, voyou passé par la Carlingue, en cheville à l'époque des faits avec des policiers, puisqu'il est carrément associé avec eux dans un hôtel de passe à Paris. Un homme qui n'inspire pas franchement le respect à William Perrin, à voir le costume qu'il lui taille en quelques mots :

« Boucheseiche avait beau avoir travaillé pour la Gestapo, il a été récupéré par les services secrets.

La raison est simple : ces mecs sont capables de tout. On pouvait même leur demander d'aller tuer des gens. Et quand on n'avait plus besoin d'eux, on les liquidait. » Exactement ce qui est arrivé à ce Boucheseiche, disparu dans des conditions non élucidées au Maroc, où il avait trouvé refuge après l'éclatement du scandale.

William Perrin lui-même nous révèle avoir été approché, au lendemain de l'enlèvement du leader marocain, par des « mecs » qu'il croisait parfois au Splendid, avenue de la Grande-Armée, à Paris, un hôtel où se retrouvaient les barbouzes et leurs associés. La proposition qu'ils lui ont faite relevait du contrat à haut risque puisqu'il s'agissait d'éliminer le dernier membre de l'opération anti-Ben Barka qui se promenait dans Paris et multipliait les révélations intempestives : le voyou Georges Figon.

« Ils m'ont demandé si j'étais volontaire pour aller fumer Figon, je leur ai dit que ça ne m'intéressait pas ! lâche William Perrin sans vraiment mesurer la portée de cette "anecdote" [officiellement, Georges Figon s'est en effet suicidé au moment de son arrestation]. Quand tu donnes carte blanche à un individu, il fait n'importe quoi ! proteste notre interlocuteur pour marquer sa distance avec ce genre de basses œuvres. Moi, ça ne me viendrait pas à l'idée de faire du mal à quelqu'un qui ne m'a rien fait ! »

C'est l'époque où des voyous circulent avec une carte tricolore dans la poche, estampillée « SAC ». Essentiellement des proxénètes, à en croire William Perrin, des « voyous de basse classe » à la recherche d'une « embellie ». On ne la lui a jamais proposée, mais il assure qu'il aurait dit non tout de suite. « Dans la vie, ou tu es voyou, ou tu es condé », répète-t-il. En revanche, des gars encartés au SAC lui « filaient parfois de belles affaires ». Par exemple, des adresses de bijouterie à braquer, en échange de quoi il leur « filait un bouquet » – pas une part du butin, mais un pourboire, précise-t-il.

Des jeux, dont il sera souvent question dans cette enquête, William Perrin a une vision assez simple. Pourquoi est-ce, en France, le domaine réservé des Corses ?

« L'histoire commence dans les colonies, en Indochine, dit-il. En jouant sur le taux de change des piastres, les Corses ont pris énormément d'argent. Au retour, ils ont monté les premiers cercles de jeux à Paris. Ils ont été couverts par un poulet du nom de Robert Blémant, qui venait des services secrets. C'est notamment lui qui protégeait le Grand Cercle. Pour semer ceux qui le surveillaient, cet ex-policier avait l'habitude d'entrer dans un parking, de changer de voiture et de sortir de l'autre côté. Ce sont ses propres amis qui ont fini par le tuer parce qu'il était passé dans l'autre camp… »

Un jour, le patron du prestigieux Grand Cercle, fréquenté par des joueurs fortunés, invite William Perrin dans son établissement pour lui montrer toutes les alarmes qu'il avait posées après un braquage. « Jean-Baptiste Andreani aurait voulu que je me range dans son camp, mais je n'ai jamais voulu m'occuper de leur guerre, confie notre interlocuteur. J'étais bien avec lui, ça s'arrêtait là. » Bien, au point d'être parfois convié pour un déjeuner dans l'hôtel particulier du prince du jeu, à Paris, où il affichait ses valets et son train de vie de milliardaire. Dom Pérignon et caviar au menu, classe oblige.

Fraîchement arrivé au pouvoir en 1981, François Mitterrand ordonne la fermeture de l'établissement, officieusement, selon William Perrin, parce que le patron l'avait giflé lorsqu'il était avocat. Une double incompréhension pour le milieu, parce que le ministre de l'Intérieur de l'époque s'appelle Gaston Defferre et que « ce sont les voyous de Marseille qui l'ont mis au pouvoir », croit savoir notre interlocuteur.

« Ces mecs n'ont pas de figure, peste-t-il. Tu as vu des politiques qui sont braves ? Ils marchent à tous les articles ! Le pouvoir, pour eux, c'est énorme. Les mecs comme moi, ils peuvent pas les voir, on est bons pour la poubelle. Moi, la gloire, ce n'est pas mon truc, ça m'a coûté des années de prison.

— Vous auriez transporté une valise pour un politique ?

— Jamais de la vie ! D'abord ils n'ont pas besoin de moi pour ramener des valises, ensuite j'aurais fauché la valise !

— Les voyous qui ont rendu des services aux politiques l'ont-ils fait pour la patrie ?

— Non. Ils l'ont fait pour l'amour du gain ! »

Ce ne sont pas des paroles d'évangile, bien sûr, c'est le point de vue d'un homme qui a purgé de nombreuses années de prison au cours de sa vie et n'a jamais mâché ses mots.

Chapitre 3

Sexe, chantage et « pain de fesse »

Le sexe tarifé a longtemps fait l'objet d'arrangements occultes entre policiers et malfrats, et ce pour le plus grand profit des politiques, qui utilisaient les renseignements en provenance des alcôves pour tenir leurs rivaux en respect. Ces pratiques ont connu leur dernier avatar au XXIe siècle, si l'on en juge par les ennuis de Dominique Strauss-Kahn, ex-candidat à la présidentielle, déstabilisé par ses rivaux sur fond de révélations tapageuses sur ses pratiques sexuelles. Pour y voir plus clair, nous avons « invité » dans ce chapitre deux anciens policiers et un souteneur patenté : Lucien Aimé-Blanc, contrôleur général de la Police nationale, ancien responsable de la brigade mondaine, ancien directeur de l'Office central de répression du banditisme, Guy Parent, l'un de ses successeurs à la tête de la mondaine, et Dominique Alderweireld, alias Dodo la Saumure, souteneur connu du grand public depuis son rôle phare dans « l'affaire DSK »…

C'est par hasard que le jeune commissaire Aimé-Blanc entre dans l'administration, en 1961, après vingt-huit mois de service militaire pour cause de guerre d'Algérie, en passant un concours de la préfecture de police de Paris. Convoqué par le patron de la brigade mondaine, en charge de tout ce qui touche à la prostitution et aux « déviances » sexuelles, il s'entend tenir un discours plus ou moins prometteur, mais sans détour :

« Blanc, je vous ai choisi parce que j'avais besoin de quelqu'un de neuf et plutôt naïf, pas de quelqu'un qui comprenne trop vite les choses. Vous vous contenterez de fermer votre gueule, de faire mes papiers dans le sens que je vous indiquerai et de répondre au téléphone sans prendre aucun risque, ni aucune initiative. »

Le commissaire adjoint complète le tableau par ces mots :

« Je vais rester six mois avec toi pour te former. Comme tu es marseillais, tu vas avoir les qualités requises pour ce système. »

C'est ainsi qu'il se retrouve six mois plus tard commissaire adjoint de la brigade mondaine à plein temps. Composée de quarante à cinquante fonctionnaires, cette section très spéciale n'avait aucune vocation répressive. « C'était un véritable cabinet noir à la disposition du préfet de police, en l'occurrence Maurice Papon, qui se prenait pour le Fouché de la Ve République, résume Lucien Aimé-Blanc, avec cette pointe d'accent marseillais qui ne l'a jamais quitté. Ce qu'il souhaitait, c'était avoir des papiers sur tout le monde, y compris sur ses amis politiques. À l'époque, un ministre qui trompait sa femme était immédiatement signalé à l'Élysée ; "Tante Yvonne", comme on appelait Mme de Gaulle, n'appréciait pas, si bien que la carrière du ministre en question était désormais chancelante. »

La brigade mondaine était officiellement chargée de veiller sur les hôtels de passe, c'était même le seul service habilité dans la capitale à établir des procédures pour « proxénétisme hôtelier ». Pas une mince affaire dans la mesure où Paris était à l'époque un « véritable boxon », *dixit* le commissaire, avec ses cent quarante-trois hôtels de passe.

« C'était pas mauvais pour le tourisme, ça drainait beaucoup du monde, surtout vers Pigalle, qui était bien tenu par les voyous corses », raconte-t-il. Trois hôtels de passe tournaient vingt-quatre heures sur vingt-quatre porte Maillot, il y en avait aussi rue Godot-de-Mauroy, derrière le magasin de produits de luxe Fauchon, à la Madeleine, où un jour, la même Tante Yvonne qui terminait ses courses, aperçoit des prostituées. Elle s'en inquiète ouvertement, contraignant la mondaine à « faire semblant » pendant quelque temps de réprimer et de rédiger des rapports pour expliquer que la prostitution est désormais « contrôlée et larvée ».

« Il n'y avait rien de larvé du tout, en fait, commente le commissaire. Souvent tenus par des Auvergnats, ces hôtels servaient d'infrastructure aux voyous, qui y mettaient leurs nanas. Ces hôteliers rendaient d'éminents services à la police, qui, à l'époque, ne disposait que de rares écoutes téléphoniques et de moyens techniques réduits. L'essentiel de nos renseignements venaient de ces sources humaines. La brigade mondaine avait également un groupe « cabarets », seul service autorisé à délivrer des autorisations de nuit, ce qui nous donnait la possibilité de contrôler également toutes les boîtes de nuit parisiennes, évidemment là aussi sur la base d'un échange de bons procédés, autorisation contre renseignements, ou autre chose, de plus spécial, dont je reparlerai. On contrôlait aussi les "maisons de rendez-vous", comme on appelait les boîtes à partouzes, selon un système très simple : chaque tenancier était muni d'un Minox, un petit appareil utilisé par les services spéciaux pour photographier les documents, à charge pour lui, comme les gens se dénudaient, de photographier leurs papiers d'identité et de les communiquer à la brigade mondaine. C'est ainsi qu'on s'apercevait que ces maisons étaient parfois fréquentées par des commissaires de police, des magistrats et même des évêques ! »

Cette masse de renseignements collectés sur les acteurs de la nuit parisienne ne finissait pas dans l'oreille d'un sourd. «Les papiers étaient confinés dans une grande armoire forte dont le chef de service avait la clé et le commissaire adjoint un double. Cela se présentait sous forme de "blancs", autrement dit des notes anonymes sur le mode : "M. Untel, procureur, magistrat, ou député, fréquente une prostituée à telle adresse, etc." Une copie restait dans le coffre, qui contenait autour de quarante mille dossiers le jour où il a fallu le déménager. Deux autres étaient adressées au directeur, qui transmettait au préfet, lequel gardait pour lui ou passait un double au ministre de l'Intérieur si ça pouvait l'intéresser. C'était en fait une vaste entreprise de chantage, observe le commissaire. À tel point qu'un jour le directeur m'appelle et me dit : "Écoutez, on a besoin de vous pour jouer la chèvre. On voudrait coincer le patron de *Minute* [journal d'extrême droite], qui nous emmerde. C'est un homosexuel qui sort le soir dans les pissotières, démerdez-vous pour le coincer en outrage public à la pudeur. Je vous mets une équipe de cinq ou six fonctionnaires, c'est Papon [Maurice de son prénom, préfet de police] qui vous le demande, moi aussi d'ailleurs, si vous réussissez, vous aurez une bonne prime." Nous voilà aussitôt en train de filer discrètement ce journaliste, qui sort de chez lui vers 22 heures et traverse le jardin des Tuileries, manifestement en quête d'une aventure. Au bout d'une petite semaine, je me retrouve dans une pissotière située en face de la Samaritaine, "microtée" [équipée d'un micro]. Je sors ce qu'il faut pour l'exciter, mais il se retourne vers moi et dit : "Monsieur, vous êtes très charmant mais elle est vraiment trop petite pour moi." Je ne vous dis pas les quolibets auxquels j'ai eu droit au Quai des Orfèvres, puisque tout avait été enregistré, sans compter la remarque moqueuse du directeur : "Aimé-Blanc, on aurait dû pousser le casting plus loin." Non seulement l'affaire a échoué, mais le journaliste a éventé notre petite manipulation.

« Maurice Papon voulait tout savoir, je crois qu'il rêvait d'être nommé ambassadeur à Moscou. On l'aurait plutôt vu à Berlin, étant donné son passé sous l'Occupation, mais il voulait Moscou. Tout ce qui pouvait servir remontait vers lui, notamment les tuyaux en provenance de ce groupe qu'on appelait le "groupe des pédés", qui fichait les homosexuels. On s'est même retrouvés en train de "brancher" et de surveiller la maîtresse du ministre des Affaires étrangères, une Marocaine dont le mari, médecin, souhaitait ouvrir des cliniques à Paris. Une nuit, en plein été, on voit le ministre sortir de ses bureaux avec une grande écharpe autour du cou pour éviter d'être reconnu, et rejoindre sa maîtresse dans un immeuble dont le concierge, un gardien de la paix, l'a facilement reconnu. Le rapport est remonté jusqu'au président de la République, sans pour autant nuire à sa carrière…

« Au bout de six mois, j'avais compris le système. J'étais complètement déniaisé. J'avais appris les codes et je fermais ma gueule. J'ignorais les visiteurs du soir de mes supérieurs, parmi lesquels on pouvait reconnaître un certain Henri Botey, un voyou qui possédait cinq ou six établissements à Pigalle et venait porter sa moisson de renseignements, entre autres choses. Ce fonctionnement lui convenait parfaitement, dans la mesure où un hôtel couvert par la brigade mondaine ne risquait rien. Non seulement aucun autre service ne pouvait s'en mêler, mais les juges, dont certains avaient collaboré pendant l'Occupation, issus pour la plupart de la grande bourgeoisie, ne voulaient pas s'occuper de la police parisienne, qui était un État dans l'État. J'étais exclu de ces "audiences" qui se tenaient dans le bureau de mon patron, porte fermée. »

Ces échanges rapportaient des renseignements, mais étaient aussi apparemment l'occasion, pour la police, de collecter des fonds. Les tenanciers des hôtels de passe payaient-ils en échange de leur indéfectible couverture ?

« À la faveur de ces rendez-vous du soir circulaient aussi les enveloppes de liquide, confirme Lucien Aimé-Blanc, dont chacun appréciera le franc-parler. Le tarif de base, c'était "un bâton", c'est-à-dire 10 000 francs (1 500 €) par mois pour un hôtel bien couvert, ce qui n'était pas cher payé. Évidemment, le patron avait deux ou trois adjoints avec qui il était obligé de composer parce que c'était eux les chefs de groupe du proxénétisme. Moi, qui étais commissaire adjoint, je n'existais pas, j'étais là pour faire des papiers, mais, de temps en temps, j'avais des miettes, ce qui n'était pas désagréable.

« Tout le monde profitait de ce système verrouillé par le patron, ses deux adjoints, inspecteurs divisionnaires, et ses trois ou quatre chefs de groupe, mais personne n'en parlait. C'était l'omerta. Les inspecteurs avaient peur de se faire virer, quant aux quelques journalistes accrédités, l'un d'eux vivait avec une prostituée, les autres se taisaient pour ne pas perdre leur place. Les trois ou quatre fonctionnaires de l'inspection des services étaient pour leur part en fin de parcours et connaissaient la musique... »

Henri Botey, alias « Monsieur Éric », était chez lui à la mondaine, mais peut-être pas autant que cette maquerelle surnommée « Katia la Rouquine », dont le parcours ferait frémir n'importe quel juge d'instruction de nos jours. Un personnage hors norme que le commissaire évoque sans fard :

« Le bruit courait que cette femme d'origine roumaine, juive, avait été retournée par la Gestapo, sous l'Occupation, qu'elle était devenue informatrice, ce qu'elle a toujours nié. Il se disait qu'elle avait notamment collaboré à l'arrestation de Henri Krasucki, le futur chef de la CGT, mais c'était une vieille histoire. La Rouquine dirigeait désormais un hôtel de passe rue des Acacias, à Paris, et avait connu pendant la guerre la plupart des flics de la préfecture de police, dont un certain nombre avait eux aussi collaboré, avant de se refaire une carrière après la Libération. Elle les tenait tous, elle circulait donc au Quai des Orfèvres comme chez elle. Elle adorait passer du temps dans nos camionnettes de planque, elle était en quelque sorte amoureuse de la police. Un jour qu'elle souhaitait fêter son anniversaire en beauté, elle a invité au restaurant tous les directeurs de la police judiciaire. Comme j'étais le plus jeune, c'est moi qui ai fait le compliment.

« La Rouquine avait quatre filles "couvertes", qu'aucun service ne pouvait rafler. En cas de contrôle, elles sortaient un document officiel où était inscrit : "Correspondante de la police judiciaire, ne pas toucher". Une liste de ces femmes "intouchables" était tenue par l'état-major. En échange, elles photographiaient pour la mondaine les clients "intéressants", à l'abri derrière une glace sans tain. Le service couvrait une autre star des nuits chaudes parisiennes appelée Madame Claude. À la tête d'un important réseau de call-girls, elle venait également passer certaines soirées, à partir de 20 heures, avec le patron de la brigade mondaine auquel "elle amenait également sa moisson", se souvient le commissaire. Elle avait quelques gros clients, dont beaucoup de politiques, ce qui intéressait le préfet, dit-il. De temps en temps, la DST [le contre-espionnage] nous appelait pour monter une soirée destinée à favoriser un marché, une soirée spéciale très débridée avec des hommes d'affaires, ce qui était l'autre spécialité de Madame Claude. Je suis moi-même allé choisir des filles alors que le président indonésien était à Paris pour signer un marché de locomotives avec l'entreprise Schneider ; on lui a envoyé quatre ou cinq call-girls dévouées (et bien payées) et le contrat a été signé. »

Il régnait apparemment une ambiance plutôt joyeuse dans ce service de police censé se consacrer à la défense des bonnes mœurs... Après les soirées arrosées, il arrivait qu'un inspecteur, appelé Ravaillac, vide son chargeur en direction de la statue d'Henri IV, au niveau du Pont-Neuf. Une ambiance que Lucien Aimé-Blanc qualifie aimablement de «beaucoup plus laxiste que celle d'aujourd'hui».

«On faisait régulièrement des rafles de prostituées, se souvient-il. On les chargeait dans nos deux breaks, des Peugeot 403, et on les gardait deux nuits. L'intérêt, c'était de les ficher et de les prendre en photo, mais aussi de fouiller les sacs à la recherche de numéros de téléphone pouvant nous intéresser pour des investigations ultérieures. Il est évident que les inspecteurs tombaient parfois amoureux des prostitués qui devenaient des informatrices bénévoles... Il y avait aussi les travestis, comme Wanda, une très jolie brune que les inspecteurs avaient démarchée en disant : "Le jeune commissaire – j'étais jeune à l'époque – est amoureux de toi." Ils l'avaient mise dans mon bureau et ils m'avaient enfermé, ces enfoirés, et elle m'a sauté dessus. Je n'ai pas résisté longtemps, c'est la première fois que j'ai eu une expérience de troisième type.»

Une partie de l'argent collecté auprès des tenanciers d'hôtels de passe allait-il vers les caisses du parti gaulliste? L'ancien patron conserve en mémoire une anecdote assez éclairante à ce sujet. Au cours de l'année 1967, alors qu'il avait quitté la mondaine pour l'antigang, le directeur de la PJ parisienne, Max Fernet, l'appelle et lui dit : « Vous me donnez la liste de cinq ou six hôtels qu'on pourrait couvrir et qui rapporteraient l'équivalent d'un bâton par mois, c'est pour financer la lutte anti-OAS. » Il ajoute : « C'est très confidentiel, vous ferez la tournée des enveloppes et vous me rapporterez ça dans mon bureau. » « Je lui ai donné les noms de cinq ou six hôtels qui tournaient bien, rapporte Lucien Aimé-Blanc. Évidemment, les tenanciers étaient tout à fait accessibles à ce genre de demande. Ils étaient patriotes ! Tous les mois qui ont suivi, j'ai fait la tournée des enveloppes. Je ne les ouvrais pas, mais j'avais droit à une petite prime pour service rendu.

« Le climat vire à l'orage au mois d'octobre 1965, quand deux inspecteurs qui étaient dans le bureau voisin du mien, à la mondaine, Louis Souchon et Roger Voitot, ont le mauvais goût d'enlever l'opposant marocain Ben Barka [dont le corps ne sera jamais retrouvé] devant la brasserie Lipp, boulevard Saint-Germain, à Paris… Katia la Rouquine, qui était très amie avec eux, a joué son rôle d'assistante sociale de la police et payé leurs frais d'avocats, mais le système n'a pas survécu.

« Un deuxième coup de semonce a suivi quand un commissaire de la préfecture de police, qui connaissait un peu les turpitudes de la mondaine, a pris la tête de l'Office central de la répression de la traite des êtres humains, relevant de la Sûreté nationale.

« Je ne sais pas ce qui lui a pris, peut-être voulait-il se faire bien voir du directeur central, puisqu'il y avait toujours cette rivalité entre la direction centrale et la préfecture de police, mais voilà qu'il se met en cheville avec l'inspection générale et que cela débouche sur l'arrestation de la Rouquine, raconte notre interlocuteur. Comme elle payait ses cadeaux par chèque, une cinquantaine de fonctionnaires se sont retrouvés impliqués, dont moi-même puisque, à l'occasion d'un anniversaire, elle m'avait offert un briquet Dupont en or.

« Ça a déclenché un bordel colossal, un magistrat a été saisi, en l'occurrence le juge Pinsseau, qui avait eu en main l'affaire des écoutes du *Canard enchaîné* et le dossier Ben Barka. Les commissaires de la préfecture de police étaient tous dans leurs petits souliers, Pour résoudre cette situation, le ministre de l'Intérieur, Michel Poniatowski, a décidé de dissoudre la brigade mondaine, qui est devenue un banal service de répression du proxénétisme et des stupéfiants… »

Précisons que la mondaine travaillait surtout avec les gaullistes et que Poniatowski n'était plus tout à fait en phase avec ce qui se tramait autour du SAC. La fin d'une époque, en somme.

***

C'est une quarantaine d'années plus tard que le commissaire de police Guy Parent est nommé à la tête de ce service parisien désormais baptisé « brigade de répression du proxénétisme ». Tout n'est pas aseptisé, tant s'en faut, d'ailleurs, le commissaire n'est pas né de la dernière pluie. Il sait précisément comment la France est passée, en soixante-dix ans, des bordels aux salons de massage, sans oublier les hôtels de passe et tous les « excès » que l'on sait : enveloppes garnies de billets, système institutionnalisé de protection, contreparties en tout genre... Il a également connu le Pigalle des années 1990, « une succession de cabarets à hôtesses avec des décors assez désuets, plutôt chocs que chics, où l'atmosphère était assez festive et même joyeuse ».

« Le problème qu'on avait, c'est que nombre de ces établissements grugeaient les consommateurs naïfs, se souvient-il. Touristes ou provinciaux, ils entraient en pensant assister à un strip-tease et s'en tirer avec un verre de bière, mais ressortaient lessivés de 1 000 ou 2 000 euros, raccompagnés jusqu'au distributeur de billets par des gros bras s'ils étaient à sec. En même temps, quand un coup de feu partait quelque part, les policiers qui étaient dans le secteur étaient capables de dire, dans le quart d'heure qui suivait, qui avait tiré et pourquoi, alors qu'aujourd'hui ils peuvent juste vous donner le calibre de l'arme qu'ils ont trouvée. Cette relation entre les chefs d'établissement et les policiers faisait que rien ne nous échappait.»

Quelles sont les qualités qu'il faut pour tenir un service comme la brigade de répression du proxénétisme? Quels dangers guettent celui qui le dirige? «Cela demande d'être équilibré dans sa tête, parce que les tentations sont nombreuses, à cause de ce cumul "sexe plus argent", assure Guy Parent, ton posé, voix calme, a priori rien à cacher. Cela exige aussi un vrai savoir-faire en matière policière et une certaine distance face aux événements. Vous serez sans doute surpris, mais quand j'ai pris les rênes de ce service, on ne m'a pas donné de consignes particulières ni adressé aucune mise en garde.»

La nouvelle appellation du service en dit long sur l'ampleur de la mutation : son objet, c'est aujourd'hui de réprimer le proxénétisme sous toutes ses formes, et de surveiller le monde de la nuit, toute la question étant de savoir si les établissements proposent ou non des prostituées aux clients, ce qui les ferait tomber sous le coup de la loi… Fini les arrangements et les compromissions, les prébendes et la cogestion des années mondaine ?

« Le monde de la nuit oblige le policier à se découvrir et à s'impliquer, avance Guy Parent. Des gens vont l'appeler pour régler des problèmes dans leur établissement, mais sans déposer vraiment de plainte, ce qui le pousse à évoluer hors de tout cadre juridique. On va lui demander d'être une sorte de juge de paix, de prendre des initiatives et des responsabilités et il peut se retrouver facilement en porte-à-faux, accusé d'avoir pris position pour une des parties, alors que son rôle est d'intervenir en cas d'infraction. Cet aspect officieux du travail reste toujours délicat. Le chef d'un tel service, lui, est constamment sollicité, parce qu'il a des pouvoirs importants. Tout établissement de nuit a besoin d'une autorisation pour fonctionner, une autorisation instruite par le policier. Si ce dernier considère que l'établissement ne tient pas la route, qu'il ne "mérite pas la nuit", comme on dit, c'est-à-dire de pouvoir travailler entre 2 heures et 5 heures du matin, il lui suffit de rédiger un rapport défavorable et l'établissement en question se retrouvera dans une situation financière délicate. Rien d'étonnant dans ces conditions à ce que les tenanciers tentent d'amadouer le fonctionnaire, à qui on proposera de se restaurer, de boire, et plus si affinités – on peut par exemple imaginer que le policier soit gentiment convoyé par une hôtesse avec qui il aura ensuite des échanges intimes.

— Est-il arrivé que l'on pose, discrètement ou non, une enveloppe sur votre bureau et comment, le cas échéant, avez-vous réagi ?

— Ce n'est jamais aussi franc. C'est plus subtil qu'autrefois. Un jour vous quittez un établissement et vous réalisez que votre poche est un peu plus grosse que quand vous êtes entré. Je n'ai jamais eu de proposition directe, peut-être parce que je n'avais pas la tête à ça, ou que les chefs d'établissement ont considéré que ce n'était plus le genre de la maison. Ils prennent leurs précautions et étudient le profil de leur interlocuteur avant de passer à l'acte, parce que si le policier n'est pas d'accord, il peut y avoir des poursuites pour corruption active de fonctionnaire… Celui qui couvre un établissement hors la loi contre de l'argent est mort administrativement et judiciairement. La seule raison que pourrait avoir un policier de le faire, c'est la fourniture de renseignements. Administrativement, il a des chances de s'en sortir, mais judiciairement c'est moins sûr, puisque la loi l'oblige à respecter les textes. On ne peut pas imaginer un policier couvrir de tels agissements contre pas grand-chose. Il y a une balance qui s'opère, sachant que le fonctionnaire doit prendre ses responsabilités. Si les renseignements permettent de résoudre des vols à main armée, des cambriolages, voire des meurtres, il aura des arguments à faire valoir, mais il y a toujours un travers dans ce genre d'échanges, quand la personne donne de moins en moins d'informations et continue son activité de plus belle. C'est un équilibre qui est fonction de la personnalité de l'un et de l'autre. On ne nous apprend pas à traiter l'informateur à l'école, cela s'apprend sur le tas. Il faut connaître leur motivation. Il y en a qui vont travailler avec le policier pour débarrasser le plancher de concurrents. Il y a celui qui se sait recherché, ou qui est en situation irrégulière, et qui va chercher une sécurité auprès du policier. D'autres vont trouver le policier sympathique et ne vont pas demander de contrepartie, hormis le plaisir qu'ils procurent à leur interlocuteur. Si la contrepartie consiste à lui permettre de continuer son trafic, le policier est en porte-à faux, car il est censé le dénoncer. Lorsqu'il lui donne une partie de la quantité saisie, s'agissant de stupéfiants, le policier devient dealer et peut se retrouver en prison. Il faut faire attention, tant le policier peut facilement se placer dans une dynamique qui fait que ce n'est plus le flic qui va tenir l'informateur, mais l'informateur qui va tenir le flic. Aujourd'hui, une nouvelle logique s'est imposée, qui consiste à rémunérer l'informateur avec des espèces sonnantes et trébuchantes.

— Le monde de la nuit est aussi un monde où l'on peut obtenir des renseignements qui peuvent intéresser les préfets de police et la classe politique. Comment avez-vous géré cet aspect du métier ?

— Il y a des établissements plus sensibles que d'autres, notamment ceux où l'on pratique l'échangisme, fréquentés par des habitués qui peuvent avoir un profil intéressant pour notre hiérarchie, des "people", un homme politique, un journaliste, un curé… Mais la pratique consistant à rédiger des "blancs", comme on dit dans notre jargon, ne m'a jamais satisfait. Ces "blancs" sont des comptes rendus totalement anonymes, sans destinataire, transmis par les policiers au chef de service qui va les transmettre, en fonction de l'intérêt, à son directeur, qui les transmettra éventuellement au ministre. Avant mon arrivée, très peu de "blancs" étaient adressés à la hiérarchie parce que les informations qu'ils contenaient étaient connues de tous. J'ai donné des instructions pour que ces notes soient réorientées vers un domaine intéressant davantage la police judiciaire, par exemple la présence de voyous dans ces établissements, la présence de personnes dépensant des sommes importantes ou se déplaçant à bord de puissantes voitures dont on relevait l'immatriculation. C'était un véritable changement de politique, il faut dire que le monde a évolué : il est tellement facile, avec un portable, de filmer ou de photographier une personnalité dans un club échangiste que c'est devenu moins intéressant...

— Grâce à toutes ces informations qui convergent vers lui, le patron de la brigade des mœurs est-il un homme puissant ?

— Ce n'est pas le fait de détenir une information qui fait de vous un homme puissant, mais la façon dont vous l'exploitez. Ce n'est pas parce qu'on a désigné une personnalité dans une position délicate qu'elle va être destituée de son poste le surlendemain. Il fut un temps où ces "blancs" avaient de l'importance parce qu'ils visaient des personnes ayant un rôle d'autorité. Ce pouvait être un ambassadeur, un homme politique pour qui le simple fait de fréquenter cet établissement relevait de la compromission. Cela pouvait la mettre en situation, par exemple dans le cadre d'un espionnage, d'obéir à d'autres personnes, et donc de nuire à la sécurité de l'État... »

***

Dominique Alderweireld, alias Dodo la Saumure, est l'un des souteneurs les plus célèbres de France depuis qu'il s'est retrouvé mêlé au scandale qui a éclaboussé Dominique Strauss-Kahn à la veille de l'élection présidentielle de 2012.

Né en 1949 à Annœullin, un « petit patelin » proche de Lille, dans une famille d'origine flamande, il dit avoir arrêté ses études à 16 ans, les avoir reprises à 27 ans, avant de passer une licence de droit à 45 ans, le tout ponctué de « nombreux voyages et de quelques aventures ».

« Ma première compagne exerçait le métier de prostituée, mais à haut niveau, c'est ainsi que j'ai ouvert mon premier établissement à Lille, en 1970, raconte-t-il, nous recevant dans l'un des nombreux lieux de rencontre qu'il possède dans la région bruxelloise. Le client pouvait avoir, appelons un chat un chat, une fellation dans le salon, et s'il laissait cinq, six, sept, dix bouteilles de champagne, il pouvait passer la nuit. La police était très courtoise, à condition qu'il n'y ait pas de problèmes de mineurs. Elle savait qu'il y avait de la prostitution, mais officiellement c'était des endroits où on buvait du champagne. Il m'arrivait d'offrir des consommations aux policiers, voire de leur payer le repas, mais je ne leur ai jamais donné d'espèces trébuchantes. En revanche, les policiers venaient recueillir des “éléments d'ambiance”. Sans balancer, on pouvait dire : “En ce moment, ça se passe comme ça…” De toute façon, on ne peut pas être un bon flic si on n'est pas un peu voyou, ceux que je connais parlent le même langage que moi. C'est le même monde, pénétrant, pénétré. Beaucoup de proxénètes étaient indicateurs de policier, surtout à l'époque où il y avait encore des "tricards", des gens qui étaient censés se tenir à l'écart d'une zone géographique, mais dont on tolérait la présence en échange d'informations. Moi, je ne me vois pas comme un proxénète, je préfère le terme de souteneur, parce que je n'ai jamais forcé personne...

— Pourquoi policiers et politiques sont-ils friands d'informations en provenance de vos alcôves? Est-ce une tradition française?

— Avec les "blancs", comme on disait, on pouvait tenir quelqu'un, mais aujourd'hui, il n'y a plus grand-chose à cacher. Longtemps, le fait de savoir qu'une personne avait des relations homosexuelles pouvait servir à exercer sur elle un chantage. Il n'y a que Clemenceau qui était libre, lui qui disait : "Ma seule maîtresse, c'est la France, pour le reste les pensionnaires de Mme B. me suffisent." La mondaine, à Paris, c'était un peu le Quai d'Orsay : tout le monde s'arrangeait.

— Comment voyez-vous l'évolution de la prostitution depuis la fermeture des maisons closes?

— La fermeture des maisons closes, le 13 avril 1946, c'est le fait d'une ex-prostituée qui vivait avec un mac qui n'avait pas assez touché du syndicat des bordeliers de France et d'outre-mer... Mais comme il y avait une conférence de l'ONU à Paris, on les a tolérées six mois de plus. Après, les hôtels de passe ont proliféré, de même que les “bars à champagne”, jusqu'au jour où un commissaire les a fait fermer au prétexte que des filles partaient avec les clients. Le simple fait de présenter une prostituée à quelqu'un peut désormais être considéré comme du proxénétisme – on a même vu une fille condamnée parce qu'elle avait prêté son véhicule à une autre prostituée... Il vaut pourtant mieux qu'une fille travaille dans un hôtel de passe que dans un bois à trente kilomètres de Paris, avec les phénomènes de drogue et de violence.

«Aujourd'hui, 50 % de la prostitution se fait par internet, par les petites annonces. Les filles se contentent d'un ou deux clients et font ça chez elles, aux horaires qui leur plaisent, avec les dangers qui vont avec, pour elles, mais aussi pour le client, quand la fille s'est tapé une bouteille de vodka et trois grammes de coke dans la journée.

— Pourquoi avoir développé vos affaires en Belgique?

— Si j'étais en France, je ne serais pas là pour en parler. Je serais à Fresnes et mes établissements seraient fermés. J'ai pensé à l'Espagne, mais j'ai bien fait de ne pas y aller parce que les maisons de prostitution facturent la passe à 10 euros... Ici, pas loin de la frontière, je profite de la clientèle française.

— Est-il utile, pour prospérer dans ce métier, d'avoir dans sa poche la carte d'un parti politique ?

— Les politiques ? Gaston Defferre était un grand ami des Guérini, qui ont financé ses campagnes électorales, puis il les a oubliés... Ensuite, on a vu le même Defferre interdire les machines à sous en 1983, pour punir le nouveau clan marseillais, celui de Gaétan Zampa, qui avait le tort d'avoir soutenu le candidat de la droite... Les politiques, je les qualifie souvent de "vieilles putes" parce qu'on est obligé de se prostituer pour faire ce métier, pour avoir des voix. Le seul homme honnête que je connaisse, c'est mon oncle, qui était ouvrier dans une usine, chez Dujardin, et qui a refusé d'être contremaître pour ne pas diriger ses copains... À partir du moment où vous dirigez, vous êtes obligé d'être un peu sinueux. Je suis moi-même une "vieille pute", c'est-à-dire que je transige. Même Louis XIV devait transiger !

— Quelle est la genèse de l'affaire du Carlton, devenue l'"affaire DSK" ? Considérez-vous que l'on s'est servi de la vie privée de Dominique Strauss-Kahn pour stopper sa carrière politique, comme on le faisait au temps de la brigade mondaine et de la police politique ?

— C'est moi qui suis visé au départ dans une affaire qui n'a pas grand-chose à voir avec DSK. J'ai le tort d'avoir parmi mes amis un flic honnête qui me recommande auprès des "gardes champêtres" de Tournai, où je me suis installé. L'un de ces fonctionnaires, qui voulait sortir avec ma femme, me montre un jour une circulaire expliquant comment je devrais déclarer les filles, avant de se faire déjuger par le procureur général. Il se tourne alors vers les Français et il est reçu par le directeur de la police criminelle, un monsieur que je respectais, sauf qu'il est en fin de carrière et veut se payer Dodo la Saumure. Comme il ne se passe toujours rien, ce fonctionnaire s'adresse au parquet de Courtrai, où il tombe sur des magistrats qui montent une affaire, au mois d'octobre 2000. Elle dure près de dix ans, et là-dessus intervient l'écoute administrative [non judiciaire] de René Kojfer, ancien cadre de la Mutuelle de la police devenu porte-parole du Carlton, qui me parle au téléphone de DSK. Son histoire ne m'étonnait pas dans la mesure où un groupe de BTP [bâtiment et travaux publics] était venu chercher deux filles pour aller déjeuner avec M. DSK dans un restaurant qui s'appelle L'Aventure. J'ajoute, toujours dans cette conversation écoutée, que DSK a peut-être été un peu discourtois avec ma compagne puisqu'il l'a entourée de ses bras en disant : "C'est toi que je veux", mais cela relève pour moi de l'anecdote, pas du pénal. Grâce à cette écoute administrative à mon avis illégale, ils établissent un lien entre DSK et Dodo la Saumure. Le jackpot ! On place René [Kojfer] pendant quatre jours en garde à vue comme si c'était un terroriste, alors qu'il n'a rien d'un proxénète, pour le faire parler. Mais je vous le confirme à nouveau : je n'ai jamais rencontré DSK, lequel n'a jamais mis les pieds au Carlton !

— Cette affaire, c'est un peu un coup politico-policier à l'ancienne, non, comme cela se faisait au temps révolu de la brigade mondaine ?

— Au départ, c'est moi qui suis visé, puis il y a ces rivalités économiques autour du Carlton, cet hôtel lillois, et enfin DSK que l'on greffe là-dessus... Si j'avais tenu une droguerie, je n'aurais pas eu ce genre de problèmes, mais j'ai été finalement relaxé [de même que Dominique Straus-Kahn], et quand je regarde ça avec le recul, ce n'est pas si dramatique... Il doit y avoir des gens qui sont très aigris de voir des hommes politiques avoir autant de succès sexuel. Je ne saurai jamais qui était derrière ce coup, mais reconnaissez que c'était bien joué, le fait d'associer un futur candidat à la présidence de la République à Dodo la Saumure !

— D'où tenez-vous ce sobriquet fatal ?

— Le surnom de Dodo la Saumure m'a été donné par mon ami Jean-Pierre, un grand plaisantin, qui sait que l'on appelle les souteneurs des "harengs" et que les harengs vivent dans la saumure... »

Chacun saura faire la part des choses dans ce récit, mais le fait est que Dodo la Saumure n'a pas la langue de bois et qu'il eût été dommage de clore un chapitre consacré au commerce de la chair sans donner la parole à un professionnel du secteur.

Chapitre 4

Casablanca, le capitaine et la Main rouge

Pour comprendre comment les réseaux occultes se mettent en place dans le giron de l'État, un petit détour s'impose par le Maroc, alors sous protectorat français. Les réseaux dont il est question ici sont là pour mener une guerre clandestine, comme souvent, destinée à contrer la marche vers l'indépendance d'un territoire colonisé. L'homme qui nous en parle est un témoin rare, dans la mesure où la plupart des acteurs de l'époque ont aujourd'hui disparu. Ancien policier français au Maroc, il s'appelle Antoine Mellero et nous reçoit dans son appartement parisien, où il conserve, près de soixante ans après son retour, quelques minuscules souvenirs d'un royaume qu'il n'aurait jamais voulu quitter. Il se présente comme le meilleur connaisseur de la Main rouge, une organisation secrète qui a semé la terreur parmi les nationalistes marocains, mais on comprendra rapidement qu'il en fut l'un des acteurs. Le Maroc n'est pas seulement le pays où il est né, mais une « deuxième patrie ».

« Je regrette d'être rentré en France en 1957, mais je ne pouvais faire autrement, car, après l'indépendance, ils ont demandé aux fonctionnaires de partir, surtout ceux qui étaient dans des services un peu spéciaux, comme c'était mon cas, raconte-t-il. Je regrette parce qu'on a été très mal reçus. Non seulement on n'a pas été logés tout de suite, on allait d'hôtel en hôtel, mais le Parti communiste et la CGT distribuaient des tracts disant qu'on venait prendre leur travail… »

C'est par le bouche à oreille qu'il est approché par une organisation armée naissante, la Main rouge, alors que la pression monte dans le royaume contre la France. Son père est très ami avec un policier originaire des Ardennes qui lui dit un jour, sachant que le jeune Antoine pratiquait la boxe : « Dis à ton fils que je voudrais le voir. » Il lui annonce sans détour que lui et quelques autres personnes sont en train de monter un « service spécial ». « Vous êtes sportif, on ne fera que du sport et du tir », lui dit-il. Le voilà propulsé, enchanté, dans une école un peu particulière, à quelques kilomètres de Casablanca. Quelques mois plus tard, avec deux ou trois autres sélectionnés, il se retrouve devant un gradé, le capitaine Fillette, qu'on lui présente comme le chef du « service action » de la Main rouge, une organisation montée sur le modèle du service que ce militaire d'une quarantaine d'années, mince, 1,75 mètre environ, aussi discret qu'efficace, avait auparavant mis sur pied en Indochine. Une nébuleuse dont tout le monde entendait parler, mais dont personne ne connaissait vraiment les membres.

Signe de ses liens avec le pouvoir central, le capitaine Fillette réside en général au palais présidentiel général, à Rabat. Signe de son pouvoir, il dispose pour sa « police parallèle » de beaucoup plus de moyens que la police officielle, « des moyens énormes », se souvient Antoine Mellero.

« La Main rouge disposait de toutes les armes nécessaires, dit-il. La première mitraillette israélienne, l'Uzi, qui était un bijou, c'est nous qui l'avons eue. Les voitures, n'en parlons pas. Trois ou quatre garages fournissaient les voitures les plus puissantes, avec un service de fausses plaques d'immatriculation, on pouvait toujours relever les numéros ! »

La stratégie était assez simple, à en croire notre témoin. « Le patron avait décidé qu'on devait épargner les terroristes eux-mêmes, ceux qui posaient des bombes, parce que la plupart étaient contraints de mener ces opérations, les Marocains n'étant pas à cent pour cent nationalistes à cette époque-là. La Main rouge ne poursuivait pas les petits, elle ciblait principalement les pourvoyeurs de fonds, tous ces richards bien planqués, bien au chaud, qui finançaient tout ça. On ne voulait pas empêcher le Maroc d'accéder à l'indépendance, mais obtenir pour les Français et tous les Européens un statut particulier qui nous permette de rester. On n'avait rien à faire en France !

— Quelle a été la première action notable de la Main rouge ?

— La première action s'est faite au détriment d'un fondateur du mouvement nationaliste qui avait deux pharmacies et énormément d'argent. On l'avait entendu dire qu'il fallait faucher de plus en plus de Français. Et puis un jour, ils ont abattu un gardien de la paix qui arrivait de France et ne parlait pas un mot d'arabe. Envoyé en pleine médina avec son vélo, il a essayé de se glisser sous une voiture, mais ils l'ont exécuté. "C'est comme ça qu'il faut faire", s'est vanté ce nationaliste. Le soir même, sept heures plus tard, il est tombé sous les balles de la Main rouge, à Casablanca.

— La Main rouge a frappé en dehors du Maroc, notamment en France ?

— Elle a sévi en Hollande, en Belgique et en Suisse, mais jamais en France. Parmi les armes efficaces dont on disposait, il y avait cette sarbacane dont un exemplaire se trouverait au musée de la Police suisse. C'est beaucoup plus discret qu'une arme à feu, car même avec un silencieux, on entend un petit "flop". Le problème, c'était la portée. Il fallait se rapprocher de la cible, se hisser à sa hauteur en voiture, puis souffler. Le gars recevait une flèche empoisonnée au curare dans le cou, il portait sa main où ça l'avait piqué et il tombait. C'est comme ça qu'ont été abattus deux anciens SS qui sévissaient dans le trafic d'armes, dont celui qu'on appelait le "capitaine Maurice", alors basé à Tanger.

— Qui étaient les membres de la Main rouge ?

— Les membres actifs étaient le plus souvent recrutés parmi les fonctionnaires, surtout dans les forces de l'ordre. C'était les moins nombreux, une dizaine pour le service "action", une autre dizaine pour le service "protection". Les membres de notre service de renseignement, eux, étaient plus nombreux. Ils étaient recrutés dans la masse, parmi le petit peuple marocain. Qui mieux que celui qui vit en pleine médina peut avoir des tuyaux ? C'était l'épicier du coin, le cordonnier, un peu tout le monde. On a évité en revanche de s'appuyer sur des voyous, comme le fera plus tard de Gaulle avec le SAC, parce que les voyous, on les achète facilement. Vous n'avez qu'à étaler l'argent et ils deviennent votre indicateur.

— Diriez-vous que la Main rouge était une organisation "terroriste" composée de représentants de l'ordre et téléguidée par l'État français...

— La Main rouge n'était pas directement rattachée au SDECE [les services secrets français], mais le SDECE s'est servi d'elle... Le capitaine Fillette, qui nous commandait, était en lien direct avec le président du Conseil, sans intermédiaire. Sur le terrain, on avait le sentiment de servir l'État français dans la mesure où les ordres arrivaient directement de Paris. Concrètement, le chef nous réunissait, puis il sortait le dossier. Il ne nous disait pas : "Il faut tuer Untel." Il disait : "Celui-là, on ne veut plus en entendre parler."

— Environ combien de personnes la Main rouge a-t-elle éliminées ?

— Rien qu'au Maroc, entre vingt et vingt-cinq personnes. Chaque fois qu'un gros ponte tombait, l'enterrement rassemblait cinq, huit, dix mille personnes. Ça faisait du bruit. À un moment, ça a d'ailleurs produit son effet, puisque pendant près d'une année, il n'y a plus eu d'attentat à Casablanca. Les activistes s'étaient tous réfugiés au Maroc espagnol, à Tétouan.

— Comment expliquer qu'aucun membre de la Main rouge ne se soit fait prendre ?

— Personne n'a été arrêté parce qu'on était très strict. On ne se fréquentait pas, on ne se recevait pas les uns chez les autres pour boire l'anisette, d'ailleurs il n'y en avait pas au Maroc.

— Vous en voulez à la France ?

— On a tout donné pour la France qui ne nous a rien donné. Qu'aucun de nous n'ait été récompensé, c'est une chose, mais on se serait débarrassé de nous, ça aurait fait plaisir à beaucoup de gens.

— Considérez-vous que lorsqu'un pays est en guerre, il a besoin pour se défendre de ce genre d'organisation secrète ? Est-ce une arme essentielle si l'on veut l'emporter ?

— Ces organisations secrètes ont toujours existé et ne sont pas propres à la France. Je me souviens d'un ministre de l'Intérieur qui avait dit : "Il faut terroriser les terroristes", mais je me demande qui il a terrorisé. L'avantage de ces organisations, c'est qu'elles créent une psychose : on voit des personnes mourir, mais on ne sait pas qui les a tuées. Dès lors, beaucoup s'abstiennent ou quittent le bateau, et c'est une victoire… »

Antoine Mellero est l'un des rares témoins à pouvoir encore évoquer la figure de Jo Attia, ce voyou poussé hors de la Carlingue, la Gestapo française, par ses congénères, puis expédié vers un camp de concentration où il a acquis une forme d'impunité, avant de devenir un pilier du banditisme à la Libération. Il l'a rencontré au Maroc espagnol, après la guerre. Attia le résistant était accompagné dans cette virée par un ancien de la Gestapo, Antoine Nottini, dit « la Béquille ». Interrogé par Mellero, il aurait eu cette réplique mémorable : « De Gaulle n'a pas pu rassembler les Français, nous, les voyous, nous avons fait cette réconciliation. »

Les deux hommes, Attia et Nottini, étaient à Tétouan dans le cadre d'une mission que leur avait confiée le SDECE : faire sauter un hôtel où s'étaient réfugiés les nationalistes poursuivis au Maroc par la Main rouge. Le capitaine Fillette, qui n'était pas d'accord avec cet attentat, avait envoyé ses hommes dans leurs pattes pour faire échouer ce projet d'attentat. « On n'a pas eu à s'en mêler, assure Antoine Mellero. La bombe artisanale qu'ils avaient préparée avec un réveil faisait tellement de bruit que les gens l'ont remarquée et ont appelé aussitôt la police espagnole. Le SDECE n'en est pas moins intervenu pour faire libérer Jo Attia en prétextant qu'il était recherché pour un double meurtre commis en région parisienne, scène de crime sur laquelle on avait étrangement retrouvé une gourmette portant le prénom de "Jo". Cela a permis de justifier son extradition… »

Pour notre témoin, le rôle qu'aurait joué Jo Attia dans le camp de Mauthausen ne relève pas de la légende. « C'était une gueule, un molosse, se souvient-il. Quand les nazis ont commencé à fuir devant l'avancée des Américains, entraînant avec eux les déportés, ils abattaient les traînards. Jo a porté je ne sais combien de personnes sur son dos pendant des kilomètres. Parmi elles se trouvaient plusieurs politiques, dont un grand patron du Parti communiste, mais aussi un certain Michelet, devenu par la suite ministre de la Justice. Après la guerre, chaque fois que Jo s'est retrouvé devant le tribunal pour un délit de droit commun, tous ces gens sont venus se porter caution, si bien qu'il n'a jamais été lourdement condamné. Il avait conservé ce matricule que les Allemands tatouaient sur la peau des prisonniers, mais à la Libération, il a déchiré sa carte de résistant en disant qu'on la donnait à tout le monde, ce qui n'était pas faux. »

Une fois la guerre terminée, les « affaires » ont repris le dessus. Jo Attia ne s'est pas seulement rapproché d'un Nottini, recruté par les services de l'État, mais de quelques autres gestapistes notoires, comme l'ineffable Georges Boucheseiche. « Ils avaient trop besoin les uns des autres, assure Antoine Mellero, qui a retrouvé Attia peu après son retour en France, dans le petit bar restaurant qu'il tenait dans le XVIIIe arrondissement parisien. Il m'a pris par le cou et il a dit à la barman : lui, il mange, il boit, on lui demande rien du tout. Je n'ai pas profité de la situation, mais j'en atteste aujourd'hui : Jo avait une qualité, il était très fidèle en amitié.

— Jo Attia a-t-il continué à rendre des services à l'État ? Quel était l'intérêt des services secrets français de s'appuyer sur de tels malfrats ?

— Les services secrets embauchaient des voyous tout simplement parce qu'ils étaient implantés un peu partout et qu'ils avaient de bons tuyaux. Attia n'a pas officiellement appartenu au SDECE, mais il a effectué plusieurs missions pour ce service en Afrique noire. Il a fait du renseignement, mais il avait un handicap notable : c'était un morceau, un type impressionnant, mais aussi un nom, si bien qu'il ne passait pas inaperçu.

— De quelle façon et à quelles fins des voyous français ont-ils été expédiés en Algérie pour contrer l'OAS, cette organisation qui s'en prenait frontalement au pouvoir central, au tournant des années 1960 ?

— L'un des principaux recruteurs de ces barbouzes s'appelait Pierre Lemarchand, avocat et député gaulliste. Les voyous étaient utilisés pour torturer, sous le contrôle d'un colonel de gendarmerie. Ils ont notamment torturé une capitaine de l'armée française, par ailleurs grande résistante, dans une villa d'Alger que la Main rouge a plus tard fait sauter, avec tous les tortionnaires à l'intérieur – il y a eu dix-sept morts. Parmi leurs chefs se trouvait également un commissaire de police qui sera abattu à l'hôtel Raja, alors qu'il fêtait son départ pour la métropole. Une voiture est passée d'où un passager l'a mitraillé. Ceux qui ont eu le malheur d'être renvoyés devant un tribunal à leur retour ont tous été acquittés malgré les témoignages assez précis sur les sévices subis par les victimes.

— L'État s'appuyait sur les voyous pour effectuer la sale besogne ?

— L'État recrutait des voyous parce que les voyous faisaient ce qu'on leur demandait, alors qu'un flic, c'est parfois susceptible de se rebeller. Pour les voyous, seul comptait l'argent, l'État y trouvait largement son compte. C'était en quelque sorte des "fonctionnaires", une main-d'œuvre facile. Il y avait beaucoup d'argent en jeu. Ceux qui recrutaient les voyous s'en mettaient pas mal à gauche, eux aussi. Ces hommes ont été bien utiles quand les gaullistes ont programmé l'enlèvement du colonel Argoud, un chef de l'OAS qui se planquait en Allemagne et qui avait l'intention de mener son combat jusqu'au bout. J'ai connu l'un des participants, celui qui s'est approché de lui en disant "Police allemande!" C'était un ancien gestapiste devenu indicateur de police. Le colonel a été livré pieds et poings liés à la préfecture de police de Paris, dans une fourgonnette. Quand je l'ai rencontré pour la première fois, plus tard, il m'a fait comprendre que s'il m'avait tenu au bout de son pistolet, je ne serais peut-être plus là pour lui serrer la main.

— La Main rouge, ces assassinats, la décolonisation… avez-vous parfois des regrets quand vous regardez en arrière?

— Non, je n'ai aucun regret. C'est vrai que notre combat n'a servi à rien parce qu'on a été trahis par les politiques. Mais si c'était à refaire, je le referais.

— Voyez-vous une filiation entre le modèle de la Main rouge et celui qui va prévaloir lors de la création du SAC à l'ombre du général de Gaulle ?

— Le SAC, c'était d'abord un regroupement de repris de justice. C'était des "soiffeurs", comme on disait, des types qui vous donnaient des tuyaux en échange d'un coup à boire. C'était nettement moins sérieux que la Main rouge. Alors que j'avais été recruté pour faire la campagne électorale de Georges Gorce, à Boulogne-Billancourt, dans les Hauts-de-Seine, je me suis retrouvé en concurrence avec eux. Pendant un jour ou deux, on les a suivis, ils ne s'en sont même pas aperçus. On leur a même volé des affiches. Et où passaient-ils leur temps ? Ils collaient quatre affiches et entraient dans le premier bistrot venu. C'était ça, le SAC. Une nuit, on a décollé toutes leurs affiches et Gorce, qui était tout de même ministre du Général, nous a chargés d'assurer la fin de la campagne.

— Quelle était à l'époque l'ambiance des campagnes électorales ?

— Les gens se battaient. Les mieux organisés étaient les communistes. Leurs gros bras venaient de la CGT, c'était pas des gamins. Le collage d'affiches se pratiquait la nuit, pour que personne ne les arrache. Il y avait régulièrement de la baston entre les équipes de colleurs, et ce n'était pas de la rigolade.

— À quand remonte le dernier contrat qui vous a été proposé par des politiques ?

— Alors que Valéry Giscard d'Estaing était président de la République, j'ai été contacté par un membre de son cabinet qui avait été Algérie française et pro-OAS. Il cherchait à monter des équipes contre les indépendantistes basques de l'ETA. Je lui ai répondu que j'avais assez donné pour la France, mais que pour de l'argent, pourquoi pas. Je lui ai déposé un devis et, quelques jours plus tard, on m'a fait savoir que j'étais trop cher. Ils sont passés par une ancienne barbouze marocaine qui a donné le marché à son fils, non sans m'en avertir très correctement. "Si ton fils prend moins cher, tant mieux", lui ai-je répondu. Un mois plus tard, ce même homme, par ailleurs député, est revenu vers moi pour m'expliquer qu'ils voulaient désormais monter une opération similaire contre les Corses. J'ai décliné l'offre : pas question pour moi d'aller affronter ces anciens de l'OAS qui, de retour dans leur île, avaient monté le mouvement nationaliste. J'avais trop d'amis là-dedans que je n'aurais jamais trahis, même pour de l'argent. »

Depuis notre entretien, la santé d'Antoine Mellero, marqué par la mort de son épouse et le décès prématuré de son fil, n'a cessé de décliner.

Chapitre 5

Jeux, cash et renseignement

Les cercles de jeux parisiens ont longtemps été une énorme source de profits pour le grand banditisme corse, avec l'accord plus ou moins tacite de la place Beauvau. Nous avons tenté d'aborder le sujet avec Charles Pasqua, qui n'a pas souhaité s'exprimer sur le sujet. En revanche, nous avons convaincu un ancien directeur de la police des courses et des jeux, Bernard Besson, aujourd'hui recyclé dans l'intelligence économique et peu soupçonné d'accointances avec le milieu, de nous apporter ses lumières.

Entré dans la police en 1976, aux renseignements généraux, d'abord à Roanne, puis à Lyon et dans la Nièvre, avant d'arriver à Paris comme chef de cabinet du directeur des renseignements généraux, qu'il a suivi à la DST [le service de contre-espionnage], le commissaire Bernard Besson est un jour sollicité pour diriger la police des courses et des jeux, poste qu'il n'avait pas sollicité, mais qu'il occupera dix ans.

« C'est un poste à risque car c'est une police qui se pratique dans un univers peuplé de gens souvent astucieux, intelligents, et de surcroît riches et fréquentant les puissants de ce monde. Mais aussi parce que c'est une police de la nuit, d'ailleurs créée par Georges Clemenceau avant même les Brigades du Tigre, souligne l'ancien policier.

« Un certain nombre de mes prédécesseurs ont eu des difficultés qui venaient de la complexité de ce monde et des mauvaises surprises que l'on peut trouver le lundi matin en arrivant au bureau. Les tentations sont nombreuses à cause de l'argent qui circule, si bien que certains des policiers qui sont théoriquement sous vos ordres peuvent garder par-devers eux des sommes qui leur sont allouées sous le manteau. Une des manières de mal se comporter, c'est de ne rien dire, de ne rien voir, de ne rien entendre. Vous avez également des dossiers plus sensibles que d'autres. Ces institutions que sont les casinos vivent essentiellement grâce aux machines à sous et, à l'époque où j'officiais, les demandes en ce domaine étaient instruites par la police des courses et des jeux. Il est normal que les chefs de ces établissements aient envie de voir leur dossier avancer plus vite, et c'est vers le chef du service qu'ils vont se tourner, parce que c'est lui qui signe *in fine.* »

Comme le fut la mondaine dans les établissements consacrés au sexe, la police des jeux est un service de renseignement depuis le milieu des années 1930 et la fameuse affaire Stavisky, scandale explosif lié au monde des jeux que le ministre de l'Intérieur de l'époque a découvert dans les journaux. Le ministre se tourne alors vers le directeur des courses et jeux pour lui dire : « Écoutez, je représente la souveraineté populaire, je suis élu, alors je veux bien que la police des jeux soit informée, mais, je regrette, je voudrais être informé avant. » Aussitôt dit, aussitôt fait, ce que ne regrette aucunement Bernard Besson, plusieurs fois confronté à des repreneurs de casinos téléguidés par des mafias étrangères, qu'il n'aurait pas détectés sans ces antennes. Les « espions » des jeux captent des informations qui peuvent intéresser le Quai d'Orsay, mais leurs meilleurs clients sont les voyous.

« Il est de bon ton pour eux de se montrer dans un cercle, même si on joue peu, parce que ça fait partie du bristol, de la carte de visite du voyou de passage à Paris, qui vient se montrer, explique l'ancien commissaire. C'est important pour leur standing. Les cercles de jeux offrent aussi la possibilité à certains voyous d'investir une partie de leur argent, dans la mesure où les joueurs ne jouent pas contre l'établissement, comme dans un casino, mais entre eux. Théoriquement, on doit au début de chaque soirée désigner un "banquier" contre lequel les autres vont jouer. À partir de là, la réglementation peut favoriser certains dysfonctionnements…

« Le renseignement a ici toute sa place, les "Courses et Jeux" ont la possibilité d'interroger certains truands, ou simplement des témoins, hors des normes de la police judiciaire. Il y a aussi chez les croupiers, machinistes et autres directeurs de salles de jeux ceux qui ont des yeux et des oreilles et sont susceptibles de rendre compte de ce qu'ils savent, sans oublier les cadres qui dirigent ces établissements financiers. »

L'histoire a montré que les tenanciers de certains de ces cercles avaient bénéficié d'appuis politiques au plus haut niveau, notamment place Beauvau. Bernard Besson aurait-il buté, au cours de sa carrière, sur ces protections à peine voilées ?

« Les responsables de ces cercles ont des réseaux plus ou moins fuligineux avec le monde politique, souffle-t-il. Il m'est arrivé une fois, ayant décidé de fermer un cercle de jeux, d'être convoqué par le ministre de l'Intérieur [Charles Pasqua] qui souhaitait savoir si j'étais sûr de moi, si je ne risquais pas de m'égarer dans une procédure qui pourrait être cassée par un tribunal administratif. J'ai rassuré ce ministre en lui disant que j'étais sûr de moi et que si une plainte était déposée contre l'administration, les tribunaux administratifs étaient là pour ça… Il n'est pas anormal qu'un ministre convoque un responsable de la police des jeux pour lui demander s'il est sûr de lui dans une décision de fermeture. Il n'est pas anormal non plus pour ce directeur de la police des jeux de penser que le ministre a eu des échos, des informations qui lui venaient directement du cercle de jeux.»

En l'occurrence, le cercle de jeux a été fermé parce que le dossier que soutenait le directeur était «carré», autrement dit incontestable. Notons qu'il n'avait pas pris cet établissement par surprise, ayant au préalable envoyé à ses dirigeants deux courriers leur demandant de se conformer à la réglementation. Une prudence sans doute inspirée par l'histoire même des cercles de jeux, créés après la guerre de 1914 pour venir en aide aux veuves des soldats français, notamment des aviateurs, tués au combat.

«La bonne idée a consisté à permettre à ces associations de bienfaisance d'obtenir un financement complémentaire en les autorisant à abriter des parties, sans que le jeu affecte leur vocation première, sociale, humanitaire ou artistique, le tout sous le contrôle du ministre de l'Intérieur, explique le commissaire. Ce n'est pas forcément idéal parce qu'il peut y avoir des dérives, mais ce statut a été conforté par une loi de 1920 qui, au nom de la "protection de la classe ouvrière ", a interdit la construction de casinos dans Paris et à proximité, laissant au seul casino d'Enghien la possibilité de rester ouvert. »

Les cercles de jeux ont comblé ce vide et prospéré dans la capitale, jusqu'au moment où les liens tissés pendant la période de l'Occupation, dans ce domaine également, ont conduit à une redistribution des cartes.

« Pendant la guerre, un certain nombre de résistants ont fait appel à des truands pour mener des actions violentes, car on peut être bien élevé, résistant et patriote, mais lorsqu'il faut tuer quelqu'un les yeux dans les yeux, la chose peut paraître plus compliquée, poursuit l'ex-commissaire. Il y a eu un mélange des genres. Des voyous authentiques sont devenus des héros de la Résistance, commandités par des patriotes qui n'étaient pas faits pour tuer. À la Libération, des passerelles se sont constituées entre les deux univers et ces connivences, qui ont perduré jusqu'à aujourd'hui, ont irrigué tous les partis politiques, de droite comme de gauche, avec des gens qui ont fait carrière dans des mairies, des ministères… Il appartient à la police des jeux de séparer le bon grain de l'ivraie, d'étudier jusqu'où vont les connexions. Est-ce qu'une connexion, une amitié, peut devenir une complicité ? Est-ce que le fait d'avoir été frères d'armes peut un jour déboucher sur une opération de blanchiment d'argent ? Il y a des connexions amicales ou historiques qui n'ont rien de crapuleux, mais pour éviter la pénétration dans les cercles d'un certain nombre de voyous, même s'ils ont été les acteurs d'une page héroïque de l'histoire, la police des jeux doit faire du renseignement…

— Cela explique-t-il l'omniprésence des bandits corses dans les cercles de jeux parisiens tout au long de la deuxième moitié du XXe siècle et jusqu'à ces dernières années ?

— Les Corses ont joué un rôle important dans la Résistance. Ils sont riches d'une diaspora qui n'est pas que métropolitaine, mais aussi africaine ou sud-américaine, que je mets d'ailleurs en scène dans l'un de mes romans. Ils comptent enfin dans leurs rangs un certain nombre de voyous et autant de flics. Quand vous prenez la direction de la police des courses et des jeux, vous vous retrouvez entre des fonctionnaires de police tout à fait remarquables, qui sont corses, des patrons de salles de jeux également corses, et pourquoi pas des Corses dans le domaine politique, comme à la mairie de Paris et dans différents ministères. Je ne dirais pas que vous êtes cerné par les Corses, mais vous ne pouvez pas passer à côté de la “corsitude”. Ce n’est pas parce qu’ils sont corses qu’ils sont malhonnêtes, mais il peut y avoir des affinités ou des détestations, car n’oublions pas que l’île est peuplée de clans qui ne se supportent pas toujours. Les règlements de comptes peuvent même être sanglants, si bien que vous ne pouvez pas ignorer le fait corse.

— La présence de Charles Pasqua place Beauvau, un homme qui n’a jamais nié sa “corsitude”, d’abord entre 1986 et 1988, puis entre 1993 et 1995, a-t-elle eu un impact sur la gestion des jeux ?

— Un ministre de l’Intérieur prend des décisions importantes dans le domaine des jeux. Après avis de la commission supérieure des jeux et après lecture des dossiers présentés par la police des jeux, c’est lui qui autorise, ou pas, l’ouverture d’un casino. La justice s’est intéressée à l’ouverture de certains casinos décidée par le ministre de l’Intérieur de l’époque, je pense au casino d’Annemasse…Tous les ministres sont un jour ou l’autre amenés à prendre ce genre de décisions et, en général, le monde des jeux les inquiète, car ce sont des dossiers très techniques. Il y a toujours un danger pour le ministre de se laisser entraîner, à son corps défendant ou pas, dans une décision qui favorisera certaines personnes…

— On a récemment assisté à la fermeture de la plupart des cercles de jeux parisiens. Est-ce la fin d'une époque ?

— Le pouvoir s'intéresse aux cercles de jeux quand il ne peut pas faire autrement, parce que les voyous s'entretuent pour les contrôler, parce que la présence dans ces cercles de policiers ou d'ex-policiers et certaines connexions bizarres jettent un trouble… La récente fermeture de la plupart des cercles parisiens correspond à la nécessité de professionnaliser, de mieux surveiller, c'est aussi la victoire du modèle du casino à la française, un modèle qui fonctionne bien et qui peut rapporter des revenus conséquents à une ville internationale comme Paris.

— Ces fermetures sont-elles une grosse perte pour le milieu corse ?

— Hélas pour le milieu corse, oui, mais ça ne va pas m'empêcher de dormir ! Cela fait partie de l'évolution normale des choses. Il existe d'ailleurs en Corse des casinos qui fonctionnent bien, je pense à celui d'Ajaccio, que nous avons inspecté lorsque j'étais patron des jeux, décortiqué de long en large, peut-être exagérément et peut-être parce qu'il était en Corse : l'audit a été positif, comme quoi il ne faut pas suspecter tous les Corses !

— Faut-il s'appuyer sur les malfrats pour faire du renseignement? Peut-on exercer ce métier sérieusement en les ignorant?

— Quand le ministre de l'Intérieur veut des informations sur le terrorisme, le blanchiment d'argent, les marchés publics ou la corruption, on va utiliser ce qu'on appelle des sources humaines, et on voit bien qu'il vaudra mieux fréquenter des gens qui peuvent avoir une histoire chargée que des bonnes sœurs ou des associations écologistes. Le traitement de la source demande de la patience, de la persévérance, de la psychologie, il doit être bien entendu encadré par une éthique, mais ne doit pas être étouffé. Ce qu'il faut, c'est obtenir de bonnes informations, fiables et crédibles. Oui, on fait du renseignement en fréquentant des gens qui sont à proximité de ce que l'on cherche, et ces gens peuvent être des malfrats ou des personnes parfois en lien avec eux. Ce n'est pas pour rien que certains services de renseignement fréquentent les salles de garde à vue des commissariats de police urbaine!

— Que pensez-vous de la façon dont le pouvoir, pendant la Seconde Guerre mondiale ou la guerre d'Algérie, a puisé dans le vivier de la voyoucratie pour défendre le pays?

— Quand un pays est en guerre, c'est tout à fait inévitable, parce que la guerre, c'est la violence, parce que la guerre ne respecte pas les règles, que le monde du renseignement, pour faire jeu égal, utilise des malfrats qui vont tenter d'obtenir les informations recherchées. Cela existe depuis que le monde est monde, et c'est justement ce qui rend le contrôle des services de renseignement tout à fait nécessaire. Ces institutions doivent être surveillées étroitement, mais, en même temps, être libres de leurs mouvements. Elles doivent disposer d'une marge de manœuvre, bénéficier d'une confiance stable et être capables de s'adapter dans la minute à une situation imprévue.

« Tous les chefs d'État qui ont eu à mener des guerres, je pense au général de Gaulle, ont utilisé des gens en qui ils avaient confiance, qui étaient des patriotes, à qui le Général a dit : "Voilà ce que je veux, voilà quels sont nos besoins, obtenez moi ces informations."

***

En matière de renseignement, Bernard Squarcini n'est pas non plus un novice. Ancien numéro deux des Renseignements généraux, pour lesquels il s'est occupé des dossiers Bretagne, Corse, Pays basque, contestation violente et islam radical, ancien patron de la Direction centrale du renseignement intérieur [DCRI], celui qui a hérité du surnom d'« espion de

Sarkozy» connaît également comme sa poche le milieu corse et, par ricochet, le monde des jeux. Il compte ses mots, multiplie les silences éloquents et élude merveilleusement certaines questions, mais son témoignage est essentiel à la compréhension des forces en présence.

On lui rapporte cette légende selon laquelle la famille Francisci, qui tenait jusqu'à ces dernières années l'ultime grand cercle de jeux parisien, se serait vu concéder sa première autorisation au sortir de la Seconde Guerre mondiale pour services rendus à la Résistance… L'ancien policier corse, lui aussi recyclé dans le renseignement privé, botte en partie en touche :

«Je n'étais pas né, mais c'est tout à fait logique. La Corse a été le premier département libéré, de là à ce que certains aient joué un rôle plus important que d'autres, pourquoi pas… Il y a par ailleurs une vieille tradition qui veut que les Corses se sont toujours passionnés pour les jeux, qu'ils ont connus dans la vieille colonie indochinoise. Ils étaient dans le jeu et le trafic de piastres, un goût qu'ils ont importé en France, mais je suis mal placé pour savoir s'il y a eu, ou non, une contrepartie en échange des autorisations accordées. Il n'y a d'ailleurs pas que les Francisci qui aient investi dans les jeux, je pense aussi aux familles Andreani, Peretti, et à quelques autres…»

Dans l'histoire contemporaine, on a souvent vu la République s'acoquiner avec des Corses dont le casier judiciaire n'était pas vraiment vierge. De quel œil voit-il ces rapprochements que l'on peut qualifier d'incestueux ?

« C'est une autre vieille tradition qui a été mise au jour lors de la commission d'enquête parlementaire sur les activités du Service d'action civique (SAC), dit Bernard Squarcini en se retranchant derrière les travaux de l'Assemblée nationale. On a retrouvé ça ensuite pendant l'époque giscardienne. On a aussi vu au niveau de l'agglomération marseillaise les liens que pouvaient tisser certains leaders politiques avec certaines personnes. Je dirais qu'on est dans la juste symbiose qui existe entre tous ces milieux. »

Juste symbiose ou « compromissions », le « Squale », comme on le surnomme, a des excuses à revendre pour « son » île.

« Traditionnellement, en Corse, une île pauvre, il n'y avait pas beaucoup d'autres débouchés que la fonction publique et la haute administration coloniale. Servir le drapeau, c'est quelque chose de très important, comme le sens de l'honneur. C'est une contradiction, mais cette île rebelle a toujours servi le drapeau. De là à dire qu'il y a corruption, je voudrais m'inscrire un peu en faux contre cette espèce de racisme anticorse à laquelle il faudrait mettre un petit bémol. J'en veux pour preuve le fait que nous sommes nombreux à avoir exercé notre mission sur l'île et qu'il ne manquait jamais personne, corse ou pas corse, à l'heure de monter nos opérations. Je ne vois pas à quel titre les Lorrains, les Marseillais ou les Bretons seraient moins corrompus que les autres. C'est vrai que porter un nom en "i", c'est beaucoup plus difficile... »

À ce stade de l'entretien, on cite naturellement le nom de Charles Pasqua, mais l'ancien policier n'en démord pas et défend ardemment ses « compatriotes ».

« Vous avez des noms qui chantent plus que d'autres et qui attirent le chaland, glisse-t-il. Nous avons eu des ministres passionnants et hautement responsables qui pouvaient être corses sans être corrompus, Charles Pasqua, mais je pense aussi à des préfets comme Philippe Massoni, ils ont toujours été là pour accomplir la mission que personne ne veut accomplir pour le drapeau. Je ne parle pas de missions privées, mais de missions étatiques dûment approuvées par le pouvoir politique, qui a un besoin de résultat. Tout cela ne se fait évidemment pas en dehors du cadre légal, mais il y a un moment où des gens sont peut-être plus courageux que d'autres.

— Il suffirait qu'il y ait des noms en "i" ou en "a" pour qu'on parle de mélange des genres ?

— Oui, je le pense. Certains noms laissent aussitôt à penser qu'il y a forfaiture, corruption, sabotage, trahison. Charles Pasqua a été un homme courageux qui n'a pas hésité à travailler sur son île, ce qui est toujours un peu ennuyeux. Il a accompli sa mission pour le bénéfice du pays.

— Dans le détail, puisqu'il faut bien y revenir, comment se passe l'attribution d'un cercle de jeux ?

— Le principe, c'est que les jeux sont interdits en France, avec une dérogation spécifique pour Paris, où l'on tolère un régime basé sur l'adhésion à un cercle associatif ayant un but philanthropique. Chaque demande de dérogation est étudiée par une commission supérieure des jeux qui donne un avis, laissant le soin au ministre de l'Intérieur de trancher. L'idée étant de concilier la morale, le fait que les ouvriers n'aillent pas dépenser leur argent d'un seul coup à la fin du mois, et le besoin de divertissement qui correspondait bien à l'état d'esprit de la période de l'après-guerre. C'est une tradition qui semble péricliter aujourd'hui, avec la fermeture brutale des derniers cercles, sans doute parce que l'on veut instaurer un régime plus favorable aux casinos…

— Il y a une chose qui surprend le novice, c'est le nombre important de policiers qui se sont recasés, au fil des ans, dans les équipes de ces cercles de jeux. Comment expliquer cette relative promiscuité ?

— Cet attrait vient du côté fascinant du monde de la nuit. Un policier, ça travaille la nuit, ça travaille ses indics, ça voit ses sources, ça regarde ce qui se passe. C'est beaucoup plus intéressant en termes d'acquisition de renseignements que l'activité diurne. Longtemps, il n'y a par ailleurs pas eu de règles bien établies en matière de recyclage des fonctionnaires dans les établissements de jeux. Il y avait une espèce de permission tacite qui fait que plusieurs grands directeurs des Renseignements généraux de la préfecture de police de Paris ont intégré des comités de direction de cercles. Il a fallu attendre Pierre Joxe, ce grand ministre de l'Intérieur, pour évoquer une sorte de délai de viduité, période durant laquelle le policier ne pouvait plus exercer au sein d'un cercle ou d'un casino le jour même de sa retraite. Cette règle a dû légèrement se perdre par la suite…

— Quand on travaille sur les jeux, est-on plus exposé aux tentations que les autres policiers ?

— Il faut savoir ne pas passer de l'autre côté du miroir, c'est évident. Il faut savoir tenir ses marques, mais la plupart des fonctionnaires de jeux exercent ce métier sans problème aucun. Les affaires qui ont éclaté ont souvent été traitées avec démesure.

— Vous-même avez envoyé les fonctionnaires à la pêche aux renseignements dans des cercles de jeux. Était-ce productif ?

— Lorsqu'on travaille au sein de la direction centrale des Renseignements généraux et qu'on est en charge de rassembler du renseignement sur plusieurs mouvements susceptibles d'atteindre à l'intégrité nationale du territoire, on est obligé de mettre en place un continuum : l'activité ne s'arrête pas à 18 heures. Certaines cibles, certains objectifs ont coutume d'aller finir leur soirée dans ce type d'établissements. La seule façon d'établir une analyse fine de la menace et d'étudier leur relationnel, c'est de les suivre. À l'époque, il a aussi fallu donner un coup de main à la police judiciaire, qui ne comprenait pas grand-chose au banditisme insulaire. Sur instruction, nous avons apporté notre pierre à l'édifice. Il y avait donc deux sortes de policiers susceptibles de fréquenter ces lieux, ceux qui étaient là pour contrôler la stricte application des textes, la tenue des livres, la non-dissimulation des comptes, et ceux qui suivaient la vie sociale et nocturne. Et puis il ne faut pas se leurrer, on brasse beaucoup d'argent dans ces lieux, et il est bon de savoir qu'un homme politique a grillé une somme importante dans tel casino ou tel cercle, dans la mesure où cela peut avoir une incidence immédiate sur la gestion de sa municipalité, et, si besoin, d'alerter l'autorité préfectorale.

— On a parfois l'impression que tant qu'on ne retrouve pas de cadavres sur le trottoir, autrement dit tant que les voyous ne se font pas la guerre pour contrôler les cercles de jeux, le pouvoir les laisse fonctionner, peut-être parce qu'il y trouve son intérêt…

— Certains ont préféré les fermetures brutales des cercles de jeux, d'autres avaient choisi de les voir vivre parce que c'était intéressant en termes de rentrées fiscales, de retombées collatérales pour les commerces alentour, en termes de vie aussi puisqu'un cercle, ça vit tous les jours de l'année jusqu'à une heure tardive. Pendant des années, la direction centrale des Renseignements généraux a ainsi établi un classement des établissements de jeux, chacun cherchant à décrocher le pompon de la meilleure rentrée d'argent. Mais, aujourd'hui, on voudrait créer un régime juridique plus favorable à certaines municipalités.

— Décelez-vous derrière la fermeture de ces cercles une opération plus politique ?

— Je n'irais pas jusque-là, mais c'est un choix stratégique, décidé à un certain niveau. Dans la mesure où l'on ferme pour rouvrir des casinos, je me dis que cela ne profitait pas aux bonnes personnes. Demain, cela profitera à des personnes malléables et tout à fait transparentes… À un moment, il faut bien faire le bilan et appeler un chat un chat. Il faut voir d'un côté les sommes d'argent qui pourraient être éventuellement blanchies dans le jeu, à condition de le prouver, et de l'autre les retombées économiques et commerciales d'un cercle de jeux.

— Quand on est un homme de renseignement, comme c'est votre cas, dans quelles circonstances peut-on s'appuyer à un moment ou à un autre de sa carrière sur des personnages dont le passé criminel est connu ?

— Le renseignement, c'est fait pour acquérir des éléments très précis qui permettent d'amener la charge de la preuve qui va ensuite nourrir un procès judiciaire. Mais il y a des règles déontologiques. Le métier de renseignement ne s'exerce pas n'importe comment. Cela veut dire qu'on ne va pas aller recruter comme source un délinquant faisant l'objet d'un mandat d'arrêt. La PJ [police judiciaire] peut le faire jusqu'à un certain point. Nous, nous avions notre manuel de traitement des sources, avec un contrôle hiérarchique. Cela dit, si vous voulez faire du renseignement en milieu ecclésiastique, vous fréquentez des églises et le confessionnal.

Si vous voulez faire du renseignement en milieu nocturne, vous fréquentez les casinos. Nos chemins, ceux des services de renseignement et ceux de la PJ peuvent se croiser, mais ils ont leurs propres méthodes. Il nous est d'ailleurs souvent arrivé d'avoir sur des écoutes téléphoniques des gens de la PJ qui traitaient une source humaine, ce n'est pas pour ça que nous nous sommes précipités devant le juge pour porter l'information ! La question, concernant les cercles, peut se résumer ainsi : est-ce qu'on laisse vivre, pour identifier les gens et ensuite les arrêter, ou est-ce qu'on ferme ?

— Il y a un nom qui revient de manière récurrente dans l'histoire du cercle Wagram, c'est celui de Richard Casanova, un des fondateurs de la bande de voyous bastiais dite “la Brise de mer”. Avant de mourir par balles, il était propriétaire, dit-on, de ce cercle particulièrement lucratif. Il s'est aussi fait remarquer par une très longue cavale durant laquelle il a semblé jouir d'une protection pour services rendus à la France. Qu'en pensez-vous ? Est-ce que le fait que les voyous travaillent pour le drapeau est une permanence de l'histoire de France ?

— Si Richard Casanova a pu jouer un rôle en Afrique, comme certains le soutiennent, c'est plutôt la DGSE [Direction générale de la sécurité extérieure] et son “service action” qui pourraient en témoigner…

Le rôle des voyous a largement évolué. Les pratiques de l'après-guerre se sont éloignées. Tout est devenu très transparent, du moins sur le territoire national. À l'extérieur, les règles de droit français ne s'appliquent plus. Défendre le drapeau français, ça se fait de différentes manières, avec des directives précises, ce que font tous les jours les gens de la DGSE, parfois à travers d'honorables correspondants. Le grand changement est intervenu dès l'alternance de 1981, où certaines associations de personnes se sont évaporées pour laisser place à d'autres, puisque l'alternance a aussi joué de ce côté-là, pour ensuite se neutraliser, mais on est dans un domaine politique qui concerne les étages supérieurs.

— Est-ce qu'une situation de guerre peut changer les règles en vigueur ?

— L'État, à travers ses institutions régaliennes, évolue selon que l'on soit en période de paix ou de guerre, c'est évident. Aujourd'hui, on est plutôt dans une espèce de guérilla religieuse, fanatique, et la guerre se fait autrement. Mais il est vrai qu'à la grande époque, notamment en Afrique du Nord et en Afrique noire, il y a eu des "services rendus". Il s'agissait de territoires très lointains et il ne fallait pas qu'il y ait d'incidence ni de rebondissements sur le territoire national. Quand l'OAS s'est mise à commettre des attentats sur le territoire national, pendant la guerre d'Algérie, des bureaux de liaison de la lutte anti-OAS ont été immédiatement mis sur place et tous les services ont coopéré pour neutraliser leurs activistes. Il y a bien un temps de paix et un temps de guerre. L'État a une obligation de résultat pour entretenir la paix civile et le fonctionnement des institutions, mais à situation d'exception, traitement d'exception. Jusqu'en 1981 existait la Cour de sûreté de l'État et ces tribunaux militaires hérités des périodes de guerre, où tout n'est pas écrit.

— Pourquoi n'avez-vous jamais été patron de la police des jeux ?

— S'il y a bien une chose dont j'avais horreur, ce sont les jeux. Le poste de sous-directeur des jeux ne m'a jamais intéressé. En plus, je savais qu'avec un nom en "i" ça allait me poser plus de problèmes que m'apporter des avantages. L'affaire était donc close. »

Transparence, défense serrée de la « corsitude », économie de sous-entendus, Bernard Squarcini joue gros en cherchant à imposer l'image de quelqu'un qui a souvent roulé sur la ligne blanche, sans jamais la mordre. Précisons que cet entretien s'est déroulé avant que plusieurs juges d'instruction parisiens ne viennent frapper matutinalement à sa porte, mais sans qu'aucune arrestation ou nouvelle mise en examen ne s'ensuivent.

***

Lui aussi est policier, comme nos deux interlocuteurs précédents. Lui aussi est corse, comme Bernard Squarcini, qu'il connaît bien. Charles Pellegrini, ancien commissaire divisionnaire, ancien chef de l'Office central de répression du banditisme, a également présidé, une fois sa carrière de fonctionnaire achevée, un cercle de jeux parisien désormais fermé sur décision de justice. La première question s'impose : être corse, est-ce que cela complique la carrière d'un policier ou est-ce que ça la facilite ?

« Ça ne m'a jamais posé de problème d'être flic et corse, réplique-t-il du haut de sa grande et solide silhouette. Pas plus que d'être flic et marseillais à Marseille ou d'être d'origine maghrébine et flic dans le 93. Chacun se tient, mais il y a quelque chose qu'on oublie concernant les Corses. Les Corses, je parle de ceux que je connais, que je fréquente, se respectent entre eux. Un certain nombre de mes amis d'enfance étaient voyous, ils savaient que j'étais flic, pour autant c'était chacun de son côté. C'est peut-être un peu différent aujourd'hui, mais, à l'époque, quand on était au village, on était au village. On fermait les yeux sur ce qu'était l'autre. Est-ce que c'est moral ou pas ? Je m'en moque, on se contentait de parler d'untel ou d'untel, de boire le pastis, et puis après chacun s'en va et suit son chemin, c'est toujours comme ça que ça s'est fait. Bien évidemment, je ne suis pas naïf. Il y a eu des porosités de temps en temps, mais pas plus que des porosités. Je ne vais pas citer de noms car un vieux voyou m'a un jour appris un proverbe que j'aimerais faire passer à la postérité : "Un chien mouillé n'en sèche pas un autre." Ce n'est pas en balançant son petit camarade qu'on s'exonère de ses turpitudes. »

Les pieds dans le plat, suite : on aborde frontalement avec l'enjoué Charles Pellegrini la question des cercles de jeux, et surtout des liens qu'il a tissés avec l'une des familles régnantes dans ce domaine, celle des Francisci, qui finira par lui demander de s'investir personnellement dans le club familial. « J'ai connu les Francisci de deux façons, répond posément l'ancien policier. D'abord en prenant connaissance du dossier qui leur était consacré à l'Office central de répression du banditisme, ensuite de manière plus personnelle : mon père a fait la guerre avec Marcel Francisci. La guerre terminée, chacun est rentré dans son village, mon père à Marseille, lui à Ajaccio, mais ils sont toujours restés en contact, au moins une fois par an, pour les vœux. Quand je suis arrivé à Paris, bien plus tard, c'est tout naturellement que je suis allé saluer Marcel au Cercle Haussmann, sans me préoccuper de ce qu'étaient les jeux. Pour être franc avec vous, je n'avais jamais mis les pieds dans un cercle de jeux, je ne savais même pas ce que c'était. Les jeux n'étaient pas mon sujet. Je ne me suis pas davantage intéressé au destin de la famille Francisci, en dehors de celui de Marcel, qui était un compagnon de combat de mon père. J'avais à l'esprit tout ce que j'avais lu sur lui, mais, en même temps, j'avais devant moi un notable, toujours en costume-cravate, complètement cohérent, sûr de lui, qui m'a expliqué comment il avait été victime de manipulations américaines [les Américains lui ont prêté un rôle dans la French Connection]... Qui avait tort ? Qui avait raison ? La vie en décidera...

— Quand on a été policier, comment et pourquoi se retrouve-t-on président d'un cercle de jeux ?

— Comme tout ce qui m'est arrivé dans ma carrière, c'est un hasard absolu. Marcel Francisci a été tué dans les conditions que l'on connaît [il a été assassiné]. Je ne connaissais pas son frère, Roland Francisci, auquel je suis allé présenter mes condoléances et proposer mon soutien s'il avait besoin de moi, comme ça se fait normalement, en tout cas en Corse. Je n'ai plus entendu parler de tout ça jusqu'à ce que – tout le monde peut faire des bêtises – je me présente aux élections municipales dans mon village corse et que Roland Francisci, qui était déjà une notoriété insulaire, me soutienne. Je suis battu. Il se présente aux élections législatives, je le soutiens, il est battu. Et nous nous retrouvons à Paris dans un restaurant pour évoquer cette saga électorale.

À un moment, il me dit : "Vous savez, Charles, mon président est vieux, il est fatigué, je cherche un président qui fasse un peu honneur à l'Aviation Club." Quelques jours plus tard, Roland revient à la charge : "Charles, vous n'accepteriez pas d'être président ?", et moi qui n'ai jamais joué au poker de ma vie, j'accepte, avec l'idée d'occuper le poste deux à trois ans, mais quelque part, je dois être très honnête, ça m'excitait, ça m'amusait. Tout ce qui est insolite m'a toujours plu, je suis tout sauf conformiste. Je me retrouve donc président de l'Aviation Club de France, le temps que Roland s'organise, sauf qu'entre-temps il décède brutalement à son tour. Et là, je ne me sens pas le droit de démissionner, d'abord parce que je connaissais Marcel Francisci, le fils, depuis toujours, et que, ma foi… Je ne vous cache pas que mes collègues, d'ailleurs très amicalement, me disaient : "Mais qu'est-ce que tu fais là, ce n'est pas ta place, etc.", et plus ils me disaient ça, plus ça me confortait dans l'idée de rester. Vous me parlerez sûrement des turpitudes des jeux, mais je concède que je me suis bien amusé avec la partie "culturelle" du cercle. J'ai organisé énormément de conférences sur les sujets les plus divers, devant des auditoires de qualité, preuve que les cercles ne sont pas seulement des repaires de voyous. Le cercle de l'Aviation, celui que je connais le mieux, était plutôt géré comme une PME, comptant entre deux cent trente et trois cents salariés, avec les difficultés que rencontrent ce genre d'entreprises. »

Lorsqu'on lui fait observer qu'il est loin d'être le seul policier à avoir connu une nouvelle carrière dans le monde des jeux, Charles Pellegrini ne se défile pas non plus, ce n'est pas son style. « Je crois qu'on ne passe pas vingt ans dans ce monde sans se faire des amitiés, des relations, sans qu'il se produise une sorte d'osmose, reconnaît-il. Quand on ne sait faire que ça, cela me paraît assez naturel d'accepter les propositions qu'on vous fait à l'heure de la retraite. Dire que l'on passe automatiquement du côté obscur de la force, je ne suis pas d'accord, cela dépend en fait des policiers et des endroits. » Et de citer cet ancien directeur des RG de la préfecture de police, Maurice Paoli, « homme extrêmement respectable », qui occupa une fonction importante dans un cercle après son départ à la retraite. Nombre de ses collègues avaient clamé que ce n'était pas digne de lui, Charles Pellegrini ne voit pas où est le problème.

L'ex-commissaire ne prend pas pour autant aveuglément la défense de ces cercles parisiens dont le pouvoir politique a accéléré la fermeture au cours des dernières années.

« Les cercles de jeux sont une hérésie administrative patente, admet-il. L'instruction interministérielle de 1947 était bonne en 1947, aujourd'hui, elle n'a plus lieu d'être. Je me souviens d'avoir donné une interview au *Figaro* dans laquelle je disais que la législation des cercles était “obsolète”. Il est certain qu’elle facilitait l’opacité dans la mesure où les gains du banquier étaient déclaratifs. Comment imaginer, dans ces conditions, que personne ne songe à dissimuler une partie de ses gains ? Mais qui est plus coupable ? L’élève indiscipliné ou le maître laxiste ? Pourquoi diable depuis des années n’a-t-on pas changé la législation des cercles ou ne les a-t-on pas supprimés ? Pour des raisons qui m’échappent, on a laissé perdurer cette situation, et qu’on ne vienne pas me dire que les cercles étaient protégés par la droite, je suis témoin de toutes les tracasseries dont le cercle de l’Aviation Club de France a été l’objet de la part des ministères de l’Intérieur successifs et je défie quiconque de venir me dire qu’on a fait l’objet d’une protection ! »

Ce ne sont pas les hommes qui sont en cause, à entendre notre interlocuteur, mais la législation.

« Le grand banditisme corse a investi une partie des cercles de jeux parce que la législation permettait de détourner une partie des gains de façon tout à fait naturelle, pour ne pas dire légale, poursuit-il. Il y a eu une époque où ces cercles étaient en effet des machines à cash gigantesques, quand les milliardaires orientaux venaient y dépenser des fortunes, qu’on y entrait en smoking et que les femmes n’étaient pas admises… »

La police n'avait-elle pas intérêt à voir perdurer ces points de fixation du banditisme, comme l'expliquait un peu plus haut Bernard Squarcini ? Les cercles de jeux ont d'abord été gérés par les Renseignements généraux parisiens. Une partie des inspecteurs s'occupaient de contrôler la régularité des jeux, de vérifier qu'il n'y avait pas de tricherie, pas de « banquiers » un peu complices, tandis que les autres glanaient des renseignements, posaient des micros comme on en avait mis auparavant dans certaines maisons de passe. Cette façon de faire de la police correspondait à l'époque, et puis les milliardaires ont disparu, le banditisme s'est renforcé, les règlements de comptes se sont multipliés, tandis que les Renseignements généraux ont passé la main à la police judiciaire, qui n'avait ni la même mentalité ni la même vision des choses. Enquêtes, écoutes et filatures ont pris le pas sur des années de gestion « à l'ancienne », comme on peut le voir dans le film *Les Barbouzes*, prenant à revers et par surprise ces policiers qui n'avaient pas changé leurs habitudes…

***

« J'ai connu un cercle où il y avait un bouton rouge, une petite lumière qui s'allumait pour annoncer l'arrivée de la police. On se tenait à carreau pendant un moment, mais je ne peux pas en dire plus, sinon ils vont me tirer des coups de flingue… »

Le monde des cercles de jeux est englouti sous les procédures judiciaires, mais rares sont les témoins directs qui acceptent de l'évoquer sans crainte de représailles. Aujourd'hui à la retraite, Raymond Rochet a entamé une longue carrière de « banquier » au lendemain de la Libération, grâce aux relations nouées par son père pendant la guerre avec un colonel du SDECE, comme on appelait alors les services secrets français. Bon en calcul mental, il a aussitôt fait l'affaire et passé sa vie à jouer au baccara…

« Je ne voyais que des plaques, je ne voyais pas d'argent, sauf celui qu'il fallait donner aux policiers en fin d'année », raconte-t-il. Des enveloppes, il en a vu passer, mais il a soigneusement évité de poser des questions, sans doute était-ce la clef de sa survie, lui qui a été, à 26 ans, le plus jeune « banquier » de France. Il a côtoyé des gens « sympathiques », acteurs, musiciens ou hommes d'affaires et toujours travaillé pour des Corses, une île dont il était l'un des rares, dans le personnel, à ne pas être originaire. Tout ce qu'il sait, c'est que la famille qui dirigeait le Cercle Haussmann, célèbre établissement, s'était « bien conduite pendant la guerre ». Il a aussi vu défiler de nombreuses stars du milieu entre les tables, toujours bien reçues, mais demander leur nom l'aurait probablement mis en péril, alors il s'est abstenu.

« À l'époque, témoigne-t-il à mots comptés, je démarrais une partie avec environ 5 millions de francs, en plaques évidemment. Les sommes étaient comptabilisées le soir et les impôts étaient payés directement, 1,25 % des gains dans les casinos, 2 % dans les cercles. On ne cherchait pas à en savoir plus, ce n'était pas dans notre ligne de mire. Ce qui nous intéressait, c'est de savoir combien on serait payés à la sortie. »

Ne lui parlez pas de blanchiment, Raymond Rochet fera celui qui ne comprend pas. La page définitivement tournée, il admet du bout des lèvres :

« On ne peut pas rentrer des dizaines de milliers d'euros dans la journée, qui sont uniquement comptabilisés avec une petite machine, sans avoir la tentation d'en camoufler la moitié, mais ce n'était pas un secret. Ils le savaient tous et laissaient faire, à mon avis parce que ça devait arranger tout le monde. »

On ne saurait mieux dire.

Chapitre 6

La République vue par les gangsters / 2 : Sur les rails de l'OAS

Gérard Fauré est un aventurier comme on en croise dans les romans. Armé d'un bagou à toute épreuve, poursuivi à plusieurs reprises pour trafic de stupéfiants, un temps baptisé par la presse « prince de la cocaïne », il est né à Fès, au Maroc, d'une mère marocaine, issue d'une famille de pillards du désert, et d'un père français, médecin de son état, à la fois employé du Palais royal et du gouvernement français, pour lequel il concevait des hôpitaux. C'est à Tanger, ville cosmopolite et trafiquante, qu'il a découvert la « vraie vie », autrement dit la contrebande. Pris en sympathie par un certain Renato Montalbano, membre de la mafia italienne, qui a vu en lui un jeune

« énergique », il a commencé par aller chercher des cigarettes et du whisky à Gibraltar, de l'autre côté du détroit.

« J'y ai pris goût et je me suis mis à mon compte, raconte-t-il. J'allais à Gibraltar avec des valises vides qui revenaient pleines, et comme mon père connaissait tous les douaniers, ça passait très bien. »

Après cette rapide initiation, Gérard Fauré quitte le Maroc et s'installe en Espagne, où il fait la connaissance de grands voyous qui le considèrent un peu comme leur « mascotte ». Sa formation s'accélère, il intègre le milieu français, mais quelques incartades lui mettent à dos le roi du Maroc et son général préféré, Oufkir, le contraignant à quitter l'Espagne et à se réfugier en Hollande, où il est hors d'atteinte. « Pour survivre », plaide-t-il, il braque, casse et cambriole, jusqu'au jour où il découvre la drogue, qui le fait « entrer de plain-pied dans le grand banditisme ». « Je suis un hors-la-loi, anticonformiste, rebelle, mais pas méchant, résume ce proclamé beau gosse le jour de notre rencontre, dans la banlieue parisienne. Je suis beau joueur aussi, de ceux qui savent qu'ils peuvent perdre. »

C'est en 1962 que Gérard Fauré a vu débarquer en Espagne une partie de ces Français qui avaient formé l'armature de l'OAS pour défendre leur Algérie « française ».

« Il y avait le grand Roger, Jacques, le Loup, qui avait pas mal de boutiques à Paris et un ranch du côté de Málaga, Pablo, Jean-Gilbert, un criminel invétéré, un méchant que j'avais connu au lycée à Casablanca, le petit Jacques, le Balèze, mais le grand chef, le pied-noir des pieds-noirs, c'était Tasso, un grand qui faisait 1,90 mètre, un sauvage, se souvient-il. Aujourd'hui ils sont tous morts, c'est pour ça que j'en parle... Ils avaient tué des Arabes, des Français aussi, et sont arrivés en Espagne avec des valises pleines de billets, de l'argent algérien, qu'ils revendaient au kilo. Ils ont investi à Torremolinos, Marbella ou Alicante, jusqu'au jour où ils sont allés un peu trop loin en perpétrant un gros braquage à Madrid. Quand ils ont été libérés sous contrôle judiciaire, ils sont partis en France. Ce n'est pas qu'ils aimaient ce pays, mais ils n'ont pas eu le choix. Ils ont commencé à faire de gros coups et certains politiciens ont repéré leur potentiel, par exemple pour coller des affiches. Certains ont pris la carte du SAC, par commodité, d'autres sont retournés en Espagne pour faire leurs saloperies.

« Ils allaient et venaient, à tuer, à voler, et la police fermait les yeux. Ils ont rendu de grands services à la France, mais ça manquait un peu de civisme, pour être franc. Ils partageaient leurs gains avec des politiques qui leur filaient des coups, puis déposaient leur argent dans des banques espagnoles. Tous les ministres de l'Intérieur qui se sont succédé à l'époque étaient dans le coup, on ne va pas se voiler la face. Il y avait une forme d'impunité, mais cela allait plus loin que ça. J'ai moi-même été en contact avec des policiers qui me donnaient des plans. C'était moitié-moitié, il n'y a pas de mystère là-dessus, ce qui n'empêchait pas les accidents, j'en ai eu un qui m'a valu neuf ans de prison, parce qu'il y a toujours des policiers qui rechignent… »

Le grand Roger, le Loup et leurs amis avaient du métier et les services secrets espagnols les auraient également sollicités, affirme Gérard Fauré. Ces derniers avaient à l'époque maille à partir avec les Basques de l'ETA militaire et cherchaient des volontaires pour exécuter des contrats, une dérive dont il sera question un peu plus loin dans ces pages. En retour, les Français avaient apparemment tous les droits, si l'on en croit cette anecdote dont fut témoin notre interlocuteur : il était en compagnie de Jean-Gilbert, son ami d'enfance, lorsque des policiers espagnols sont venus le chercher, à Marbella. Voici le marché qu'ils lui auraient mis en main : « Jean-Gilbert, on est obligés de t'arrêter parce que la police hollandaise te demande, mais ne t'inquiète pas : tu viens avec nous, on va te mettre un pistolet dans la poche et on va te retenir pour ça.

Pour le pistolet, tu vas rentrer une journée en prison, tu ressors demain, sous contrôle judiciaire, comme ça on n'est pas obligés de t'envoyer en Hollande parce que t'as une affaire ici en Espagne. » C'était ça, le système : une protection à toute épreuve en échange de services à hauts risques. Ces anciens militants de l'Algérie française récupérés par les gaullistes avaient-ils un quelconque sens de la patrie ?

« Le drapeau français, ils s'en foutaient royalement, ce qui comptait, c'était l'argent, affirme avec le recul Gérard Fauré, partageant ainsi l'opinion exprimée quelques pages auparavant par son « confrère » William Perrin. On leur aurait proposé la Finlande ou la Russie pour gagner du fric, ils y seraient allés. On leur aurait donné la possibilité de rester en Algérie et de garder leurs affaires, ils y seraient restés. On leur a demandé d'aller tuer des gens en Espagne, ils y sont allés gaiement, pourvu qu'on les paye ! En France, pendant les campagnes électorales, ils cassaient la gueule des colleurs d'affiches du camp adverse et tiraient en l'air pour impressionner… »

Gérard Fauré faisait partie des leurs, mais il y avait une limite. « Pour entrer dans leur groupe, il fallait être capable de flinguer, dit-il. À deux ou trois reprises, ils ont essayé : "Gé, tu vas nous flinguer celui-là." J'ai dit : "Je peux vous rendre tous les services, mais je flingue personne." J'ai passé toutes sortes d'armes pour eux d'Espagne vers la France et vice versa, je leur ai rendu beaucoup de services, mais je ne pourrais pas tuer quelqu'un qui ne m'a rien fait. »

C'est assez naturellement que ces soldats perdus, recyclés en voyous, se sont mis aux stupéfiants, avec la complicité de policiers espagnols, à en croire notre témoin. La combine était la suivante : Jean-Gilbert commandait trois à quatre tonnes de cannabis à des trafiquants marocains et les faisait livrer sur une plage en Andalousie. Une fois la marchandise débarquée, il sortait les armes, mitraillait et partait sans payer. La police prenait le relais en expliquant dans les journaux qu'une organisation avait été démantelée, tandis que Jean-Gilbert et ses amis se faisaient passer pour des victimes et construisaient des villas hollywoodiennes à Marbella ; les policiers espagnols, eux, roulaient en Mercedes et en voitures américaines…

Le regard que porte Gérard Fauré sur les policiers espagnols en surprendra plus d'un. Il ne les a jamais considérés comme des ennemis, mais comme des gens « normaux », autrement dit capables de comprendre que lutter contre le trafic de drogue « c'est se battre contre des moulins », et que le contribuable est perdant. « D'autant que lorsqu'ils arrêtaient un mec avec cent kilos, à l'arrivée il ne restait même pas vingt kilos, le reste ils le revendaient… Quant aux gros trafiquants, ils les libéraient sous caution au bout de trois jours »…

Il n'en a pas moins payé cher – quinze années de sa vie – le fait d'avoir vendu tout ce qui lui passait sous la main, ecstasy, héroïne chinoise, haschich, herbe, mais c'est la cocaïne qui a eu sa préférence. Une drogue « diabolique » qu'il a commercialisée dès 1974 et qu'il allait lui-même chercher en Amérique du Sud. « Je connaissais toutes les ficelles, de la préparation à la vente, puis, un jour, j'ai fait la connaissance à Paris d'un Corse qui était le bras droit de Gaëtan Zampa [parrain de Marseille]. Je lui ai offert une ligne de coke et il m'a fait entrer dans toutes les bonnes boîtes de Paris. Il m'a présenté la jet-set parisienne, Françoise Sagan en particulier, Yves Mourousi, et bien d'autres dont je ne citerai pas le nom par correction, comme ces hommes politiques qui étaient addicts à la cocaïne à cent pour cent. Je suis devenu la coqueluche de la haute société et j'en étais assez fier. Cela me faisait plaisir qu'on me voie en boîte avec Thierry Le Luron ou Coluche, qui étaient des amis. Je possédais une très grande villa à Versailles, boulevard du Roi, où j'invitais les grands de ce monde à l'heure de l'*after*. Ils prenaient une boulette de cocaïne et payaient à la sortie ce qu'ils avaient consommé. Et je peux vous dire que j'en ai reçu, des actrices et des acteurs parisiens, et même des politiciens ! Au tribunal, le jour de mon procès, un de mes revendeurs a cité le nom d'un puissant homme politique. Je ne sais pas s'il était consommateur ou si c'était pour amuser la galerie, mais son chauffeur venait chercher cent grammes de cocaïne par semaine ! »

Un jour, ce gangster qui tutoyait les grands de ce monde s'est offert une « grosse tranche de rigolade ». N'ayant que cinquante grammes de cocaïne sous la main, il a coupé la marchandise avec la même quantité de laxatif, avant d'aller « assister à la débandade » dans une grande propriété de la région parisienne, où un homme politique donnait une fête. « Je suis resté un peu en retrait et je voyais les gens qui chopaient la courante après avoir sniffé, raconte-t-il. Ils couraient dans tous les sens se chercher un petit coin… »

Ces consommateurs se sont vengés à leur manière. Il leur a pris beaucoup d'argent, mais le jour où il a été interpellé, plus de vingt-cinq sont venus témoigner contre le « prince des nuits d'enfer ».

« Ils ne se sont pas gênés pour m'assassiner, proteste Gérard Fauré. Ils s'en sont donné à cœur joie : "Ah oui Gérard ! bien sûr ! C'est le champion de la cocaïne, fallait voir ce qu'il avait, il nous donnait des boulettes de ci, de ça…" Ils m'ont, comment dirais-je… c'était une meute, c'était la curée. »

Se confirme ici la règle intangible, selon laquelle on jette bien le voyou après en avoir fait bon usage…

Chapitre 7

Le SAC, officine de toutes les campagnes

Il est temps de plonger dans les arcanes du SAC, qui est un peu l'archétype des relations troubles entre politiques, police et gangsters. Souhaité par le général de Gaulle, ce « Service d'action civique » a fini, au fil des exactions qui ont jonché son existence, par ne plus du tout mériter son nom. Il a rapidement quitté la sphère politique pour alimenter les pages « faits divers » des journaux. Sorte de police parallèle, il a fait la part belle aux gangsters, trop heureux de pouvoir circuler avec une carte tricolore dans la poche, un véritable sésame.

« La création de services de police parallèle est une constante de tout pouvoir qui se veut fort et qui n'a pas totalement confiance dans la police officielle », rappelle l'historien des polices Jean-Marc Berlière, qui garde en mémoire la création par Vichy, dès le printemps 1941, de plusieurs services de police « latérale », dont le premier est chargé des sociétés secrètes, autrement dit de lutter contre la franc-maçonnerie. « De vrais policiers sont détachés, qui encadrent des amateurs, tout simplement parce que beaucoup de policiers sont maçons et qu'ils ne vont pas combattre la maçonnerie avec l'ardeur qu'on attend », explique notre interlocuteur. C'est encore plus clair lorsque Pierre Pucheu, devenu secrétaire d'État à l'Intérieur, créé un service de police anticommuniste, le SPAC, et la police aux questions juives.

« Là non plus, commente Jean-Marc Berlière, on ne fait pas confiance aux policiers pour arrêter les juifs, vérifier leurs certificats de baptême, pas plus qu'on ne les croit en mesure de lutter contre les communistes. »

C'est plus facile à faire lorsqu'on est au pouvoir que dans l'opposition, comme c'est le cas des gaullistes lorsqu'ils lancent leur Service d'action civique, début 1958. Parmi les fondateurs, rappelle l'historien, Roger Frey, Paul Comiti, Marie-Madeleine Fourcade, connue pour son rôle tout à fait extraordinaire dans la Résistance, et Charles Pasqua, responsable du service d'ordre du RPF [Rassemblement du peuple français], le parti que de Gaulle a créé en 1947. Tout sauf des enfants de chœur !

« Ces gens-là sont fascinés par la police officielle, analyse l'historien. Ils lui attribuent des pouvoirs sans doute plus importants qu'elle n'en a réellement. Ils savent que la police n'est pas un instrument docile, qu'elle est compliquée à diriger, d'abord parce que les policiers défendent leurs propres intérêts et que l'institution est extrêmement divisée. Ils pensent que cette police peut être un obstacle à leur prise de pouvoir, ce coup d'État qui n'en est pas un, de Gaulle ayant admirablement joué du putsch de quelques généraux à Alger. La plupart des manuels oublient de mentionner cet événement extraordinaire survenu deux mois plus tôt, le 13 mars 1958. Ce jour-là, la police parisienne manifeste et se met en grève. Après une énorme réunion dans la cour de la préfecture de police, ils investissent le Palais-Bourbon. La réaction du pouvoir est immédiate. Le préfet de police est destitué et remplacé par Maurice Papon, mais de Gaulle ne s'y trompe pas : "Le pouvoir n'est plus à prendre, il est à ramasser", aurait-il dit. »

Pour Jean-Marc Berlière, les policiers n'ont jamais pardonné à cette IVe République finissante l'épuration, cette « véritable révolution culturelle », où l'on a vu des policiers destitués pour avoir fait leur boulot, pour avoir obéi aux ordres, dans ce pays où l'on a le culte de l'obéissance, de la hiérarchie, tandis qu'étaient récompensés ceux qui avaient trahi l'institution, leurs collègues, leurs chefs.

«Je ne sais pas s'il y a un engouement pour le gaullisme dans la police, mais un certain nombre de policiers rejoignent le SAC, craignant la grande faiblesse du régime à l'égard des communistes, pensant peut-être aussi qu'ils pourront agir de façon non officielle contre le FLN, poursuit l'historien. Les policiers y retrouvent des truands, comme ce fut le cas rue Lauriston [siège de la sinistre Gestapo française] pendant l'Occupation, les compétences des uns complétant celles des autres, avec des motivations différentes. À défaut de l'impunité, les truands cherchent des protections, des relations. Ils se sentent importants quand on leur confie des missions que la police officielle ne peut pas accomplir. Les policiers, eux, mènent des actions dont leurs collègues rêvent, mais qu'ils ne peuvent conduire à leur terme parce qu'il y a des lois. Ils agissent aux marges de la légalité, et ça c'est formidable à leurs yeux, même si ces collusions portent en germe toutes les dérives ultérieures du SAC.»

Les «commandos de la mort» à la française, dans les années 1957, 1958, ne relèveraient pas de la légende. Ils comprenaient des policiers et des gens difficiles à identifier qui allaient tuer, entre autres, des percepteurs du FLN, et qui se reconvertiront ensuite dans la lutte contre l'OAS, non sans une certaine déception pour ceux qui croyaient à l'Algérie française... Ils traquent les livraisons d'armes et pistent en Espagne, en Allemagne, jusqu'en Grèce, ces dirigeants de l'OAS qui ont tenté, excusez du peu, d'assassiner le général de Gaulle.

En parallèle, et de manière plus visible, ces mêmes gangsters collent des affiches pendant les campagnes électorales, parfois sous la protection directe de petites camionnettes de la police, mobilisées pour décourager toute intervention, sans oublier d'encadrer les meetings, comme en attestait plus haut l'ancien ministre de l'Intérieur Daniel Vaillant. Pragmatisme ? « La politique, c'est du réalisme, confirme Jean-Marc Berlière. La seule chose qui compte, c'est la prise du pouvoir et l'exercice du pouvoir. Cela peut choquer de voir des républicains utiliser des moyens peu démocratiques, même s'ils se justifient en invoquant l'intérêt de tous. C'est un dilemme terrible auquel s'étaient confrontés les conventionnels de 1793, lorsque l'on vit Saint-Just justifier la guillotine et la Terreur parce que c'était pour le bien du peuple... »

Le contexte de l'époque est pour beaucoup dans ces choix, à commencer par le poids que pèse alors le Parti communiste français, au service du « grand frère » soviétique sur fond de guerre froide. Certains craignent sérieusement de voir la France ressembler à ces démocraties populaires de l'Est, et ce danger, en tout cas ressenti comme tel, pousse le pouvoir gaulliste vers ces improbables collusions, les politiques appréciant le savoir-faire de gangsters souvent viscéralement anticommunistes…

« Si l'opération qu'on leur a confiée se passe mal, le pouvoir nie tout rapport avec les gangsters, observe encore Jean-Marc Berlière. Ils rendent service et jouissent en échange d'une forme d'impunité. Ils y gagnent aussi une forme de respectabilité, une surface. Être maquereau, ça rapporte énormément d'argent, mais c'est quand même pas très glorieux. Quoi de mieux que ces amitiés politiques pour accéder au rang de notable ? »

On pense immédiatement au célèbre Georges Boucheseiche, ce truand chez qui deux flics de la mondaine ont livré l'opposant marocain Mehdi Ben Barka, le 29 octobre 1965. Une époque où les hommes politiques prenaient leurs précautions : le ministre de l'Intérieur, Roger Frey, qui figurait parmi les fondateurs du SAC, est quasiment le seul à avoir quitté la place Beauvau, après le coup de colère du général de Gaulle à propos de cet enlèvement, sans laisser de papiers derrière lui, rappelle l'historien.

***

« Le Service d'action civique, rapidement pris en main par Charles Pasqua, servait essentiellement à organiser les services d'ordre, peut-être même les bourrages d'urnes pour le compte du parti gaulliste, confirme l'ancien commissaire de police Lucien Aimé-Blanc, qui nous racontait plus haut les dessous de la brigade mondaine. De Gaulle fermait les yeux, Pasqua gérait, et comme il était corse, nombre de Corses se sont engouffrés là-dedans. Ils ont été efficaces contre l'OAS et ont liquidé pas mal de monde, sous le contrôle du cabinet du ministre de l'Intérieur, Roger Frey, et de son directeur de cabinet, Sanguinetti. Il y avait également ce qu'il fallait pour verrouiller le ministère de la justice... »

Concrètement, les membres du SAC se voyaient délivrer une carte qui ressemblait à celle de la police, barrée tricolore, où il était marqué : « M. untel est collaborateur d'un parlementaire ou d'un ministre, laissez passer et circuler librement. »

« Si on arrêtait ces gens-là en “flag” sur un braquage, honnêtement, ça ne marchait pas, mais si c'était pour une affaire de proxénétisme ou d'extorsion de fonds, si on était intelligent et qu'on voulait de l'avancement, on fermait les yeux, confirme l'ancien commissaire.

Et si on ne fermait pas les yeux, c'était au niveau du ministère de la Justice, du cabinet du préfet, ou du cabinet du ministre de l'Intérieur que ça s'arrangeait, et le gars était dehors vingt-quatre heures ou quarante-huit heures après. »

Chacun y trouvait son compte. Les gangsters, qui profitaient de cette impunité relative pour se livrer à quelques « fantaisies », comme les commissaires, dont les carrières florissaient agréablement au gré de leurs interventions.

« On était rapidement dans le moule, confie Lucien Aimé-Blanc. Quand je suis arrivé, je ne buvais pas, ne fumais pas. Les inspecteurs m'ont dit : "Si tu ne bois pas un coup avec nous, si tu ne fumes pas, si tu ne sors pas de temps en temps avec une prostituée, on ne va pas te prendre au sérieux." C'était comme ça, on ne se faisait pas trop d'illusions, ce qui ne nous empêchait pas de faire notre travail et de ne pas compter les heures. Le métier avait un côté aventureux. On avait une certaine liberté, d'autant que la hiérarchie avait fait pire, elle qui avait vécu la collaboration, la Résistance, et parfois les deux à la fois. »

Le recours aux voyous ne choque pas forcément ce commissaire plus madré à lui seul qu'une promotion entière de jeunes commissaires sortis de l'école dans les années 2000.

« Le fait que les services utilisent des voyous dans les périodes sombres a toujours existé, dit-il. Dans les périodes calmes, évidemment, ça ne passe pas, mais pendant la guerre, la fin justifie les moyens. Cela ne se dit pas, mais c'est comme ça. Les voyous lyonnais ou parisiens qui étaient au SAC travaillaient pour l'avocat et député Pierre Lemarchand, qui était chargé de lutter contre l'OAS. Ils fournissaient des renseignements, pratiquaient l'infiltration et les flingages. On ne va pas envoyer un gendarme avec son képi pour infiltrer un réseau ou pour liquider quelqu'un ! Les voyous sont là pour les sales besognes. Les Russes, les Américains, tout le monde travaille comme ça. Les choses sont différentes aujourd'hui, mais, à l'époque, la police n'avait pas de moyens, à peine quelques voitures et appareils photo... »

Quand la police travaille avec des bouts de ficelle, le pouvoir se régale avec les autres moyens du bord, pas forcément très orthodoxes, mais souvent efficaces...

***

Charles Pellegrini, ancien CRS en Algérie, ancien chef de l'Office central de répression du banditisme, a lui aussi bien connu la période où le SAC faisait sa loi. Lorsqu'il est nommé patron du GRB (groupe de répression du banditisme), en 1972, la capitale rhodanienne est la ville de toutes les turpitudes, avec ses petits bordels en étage, un vrai milieu, mélange de collabos et de résistants, tout cela derrière une apparence proprette. Le commissaire Javilliey, une icône de la police, un flic à la Gabin, cheveux blancs, belle prestance, un peu rougeaud, vient de tomber à cause de ses relations privilégiées avec le milieu, apparues au grand jour après un meurtre dans un bordel de l'Ain…

« Cadre du SAC, le commissaire Javilliey tenait la ville main dans la main avec les figures du banditisme de l'époque, comme Jean Augé, se souvient Charles Pellegrini. La tranquillité régnait, on n'allait pas permettre à la petite délinquance de s'exprimer alors qu'il y avait tellement d'affaires à réaliser ! Avec la petite expérience que j'avais, c'était un peu Tintin chez les barbares, ou Thierry Lhermitte arrivant d'Épinal dans *Les Ripoux*, mais je me suis très vite mis dans le bain grâce au patron de la PJ, le commissaire Mathieu, quelqu'un de droit et de carré… »

Un jour, dans le cadre d'une enquête, l'intrépide Pellegrini apprend que doit se tenir une réunion du SAC en présence de tel et tel voyou. On lui fait passer le message : « Faut pas y aller parce que c'est protégé. » « On y va, on verra bien si c'est protégé », répond-il, avant de le faire « à l'américaine ». Avec ses inspecteurs, il enfonce les portes. « Haut les mains personne ne bouge ! » « Mais je suis machin ! » proteste un participant. « J'en ai rien à cirer ! » répond le commissaire avant d'embarquer ceux qui devaient l'être. « Et je vous donne ma parole d'honneur que je n'ai subi aucune intervention, conclut-il. J'ai vite compris le système : on protège quand c'est calme, mais quand ça commence à souffler, tout le monde se défile. C'était peut-être protégé en amont, mais en aval, il n'y avait plus personne. »

Plusieurs commentateurs de l'époque ont affirmé qu'une partie du butin des vols à main armée du gang des Lyonnais avait alimenté des caisses politiques, mais Charles Pellegrini n'y croit pas.

« Je mets au défi celui qui l'a dit d'apporter le moindre début de commencement de preuve que les Lyonnais ont financé un parti politique. Je connais bien Momon Vidal [figure du gang], ce n'était pas du tout le style. C'était des gens indépendants, des Manouches qui travaillaient pour eux, pour leur communauté et qui n'étaient pas prêts à risquer leur peau pour donner des ronds à quiconque. Ils ne tenaient d'ailleurs pas d'établissements, donc n'avaient pas besoin d'être protégés. Pour employer un terme cher aux voyous, ils n'en avaient rien à cirer de personne. Ils sortaient, montaient des braquages, revenaient, sauf peut-être Chavel, l'un des membres de l'équipe, qui s'est d'ailleurs fait descendre à cause de ses erreurs : saisi par la folie des grandeurs, il avait acheté le château de Fléchères, payé au notaire avec quinze sacs remplis de petites coupures. Je suis convaincu qu'il y avait à l'époque des flux financiers vers des partis politiques, mais ils provenaient du proxénétisme, parce que là c'est normal, j'allais dire naturel : quand on tient un bordel, on finance la campagne. »

Comme Lucien Aimé-Blanc, Charles Pellegrini est un vrai pragmatique. Il connaît aussi ses classiques.

« Quand les Américains ont débarqué en Sicile, ils ont recruté la mafia pour déblayer le terrain, préparer le débarquement et faire certaines choses, rappelle-t-il. On a fait la même chose pendant la guerre d'Algérie, avec nos barbouzes… Un flic est formaté pour travailler dans la légalité, mais si un flic fait la police à Alger dans la légalité, il est mort. Le commissaire Roger Gavoury [tué le 31 mai 1961 à Alger] et tant d'autres en ont fait la triste expérience. À ce moment-là, chacun juge selon sa conscience. Personnellement, cela ne me choque pas que la République en danger utilise des moyens pour se défendre. Bien sûr qu'il y a eu des dérapages énormes, quand barbouzes et membres de l'OAS sont devenus comme deux gangs à Los Angeles, ne reculant devant rien, ni le chalumeau, ni les chignoles dans les genoux, mais je vous laisse méditer cette phrase tirée d'un livre de Joseph Kessel, *Le Bataillon du ciel*, que je cite de mémoire : "Pour vaincre l'ennemi il faut être aussi salaud que lui, il n'y a qu'un emmerdement, un matin on risque de se réveiller en s'apercevant qu'on est plus salaud que lui."»

À Lyon, jusque-là, c'était simple. Le patron de la mondaine distribuait les mètres de trottoir aux proxénètes, tandis que le patron de la Sûreté écrivait lui-même le prix des passes au dos de la porte du bordel, que tenait généralement sa maîtresse. Jusqu'au jour où la police judiciaire arrête tout le monde, les policiers comme les édiles.

«Ça a été un scandale, mais l'arrivée de Giscard au pouvoir, en 1974, a modifié les équilibres, se souvient Charles Pellegrini. Je ne suis pas de ceux qui voient l'humanité divisée entre les purs et durs d'un côté et les voyous de l'autre, mais une nouvelle génération est arrivée. On est rentré là-dedans comme dans du beurre. Les vieux devenaient vieux, beaucoup étaient morts de mort naturelle, la police retrouvait de son efficacité perdue pendant l'Occupation et à la Libération. On n'avait peur de rien!»

Transposées dans le monde d'aujourd'hui, les relations des «chasseurs» avec les «chassés» ont pris une tout autre forme, celle des rapports entre policiers et indicateurs. Des liaisons que Charles Pellegrini justifie sans la moindre hésitation.

« Que veut le patron de la brigade mondaine ? demande-t-il. Il veut se débarrasser des voleurs de voitures, des voleurs de sacs à main, de ceux qui embêtent les braves gens quand ils sortent le soir, ce sont donc les prostituées qui forment son vivier naturel d'informateurs. Que veut le patron de la Sûreté urbaine ? Il veut se débarrasser des bandes de petits braqueurs, son vivier naturel ce sont les patrons de boîtes, les patrons de bordels, etc. Ce n'est pas que je fasse une hiérarchie, mais que veut le patron de la PJ ? C'est arrêter les bandes de braqueurs nationaux et internationaux, et, à ce moment-là, il faut arriver à trouver un indic de qualité et employer d'autres moyens. C'est un juge qui accepte de ne pas mettre quelqu'un en détention, ou se prononce pour une libération conditionnelle. Aujourd'hui, tout cela est très codifié, on paye les sources des fortunes, mais j'ai aimé cette époque où l'humain avait une place très importante. Les dérapages ont existé, mais, globalement, le flic qui manipule un voyou tient les rênes et il les tient courtes, sinon le cheval s'en va. »

Les « tontons » d'autrefois sont devenus des informateurs patentés, les enveloppes ont officiellement disparu, comme les services rendus, les cartes du SAC ont été annulées au profit d'un encartage plus professionnel, mais parfois, semble-t-il, les vieilles habitudes reprennent le dessus…

***

Quand les mines ont fermé, dans ce Nord où il avait ses racines, Bernard Deleplace est entré dans la police, « parce qu'il fallait bien trouver un débouché ». Par la petite porte, comme gardien de la paix, « un beau terme ». C'était en 1964. Lorsqu'il a pris sa retraite pour aller s'installer dans le sud du pays, il a laissé derrière lui le souvenir d'un dirigeant syndical pugnace et innovant, lui qui a dirigé la puissante Fédération autonome des syndicats de police. Depuis, il ne montre nulle part son impressionnante moustache, fuyant médias et caméras.

« Sortir de la classe ouvrière pour devenir fonctionnaire, c'était une progression sociale, mais à la préfecture de police de Paris, nous étions comme les Auvergnats qui montaient faire "bougnat", se souvient-il. Nous étions partis pour trente ans. Nous avions dans la poche une carte de la ville de Paris, bleu et rouge, qu'ils ont remplacée par la carte bleu-blanc-rouge quand le général de Gaulle a décidé de nationaliser la police parisienne après l'affaire Ben Barka [1965]. Il y avait encore beaucoup de fonctionnaires issus de la Résistance, pour lesquels j'avais beaucoup de respect. Il y avait aussi des policiers qui fleuraient bon le racisme dans leurs propos vis-à-vis des Arabes, ce qui donnait lieu à des discussions très vives entre nous dans le commissariat ! »

Ancien syndicaliste dans le monde ouvrier, Bernard Deleplace a vite rejoint les rangs du syndicat autonome, majoritaire dans son service. Il avait 22 ans quand les anciens l'ont poussé à devenir leur délégué. C'est en écoutant parler les dirigeants du syndicat qu'il a compris ce qu'était le SAC. On lui disait : « Attention, celui-là fait partie du SAC, il a le bras long ! » « Qu'est-ce que c'est le SAC ? » a-t-il rapidement demandé. « C'est un genre de police parallèle composée de gens qui pactisent parfois avec des gens qu'on arrête », lui a répondu un collègue.

« C'est un monde tout à fait surprenant que je découvrais, où l'on croisait des ferrailleurs qui volaient des camions de cuivre. On me disait encore : "Fais attention parce que ce sont eux qui nous dirigent." J'ai mis du temps à comprendre, car, pour moi, la police était un corps de fonctionnaires qui devaient respecter les consignes. »

Avec le syndicat, le gardien Deleplace apprend à s'élever contre ces « pratiques et déviations », y compris en s'opposant à la hiérarchie, qui ne réagissait pas toujours, les chefs ayant peur d'être rapidement mutés ailleurs s'ils n'écoutaient pas le responsable du SAC.

« À la base, on apprenait parfois qu'un des nôtres avait été recruté par un type du SAC pour aller faire la claque, assurer la protection d'une réunion publique, ou donner un coup de main aux briseurs de grève dans une usine pour le compte d'un syndicat créé de toutes pièces contre les luttes ouvrières. Un certain nombre d'entre eux ont adhéré à ce syndicat dit indépendant, créé à l'initiative d'un préfet, ce qui nous donnait une raison supplémentaire de surveiller tout ça de près.

« Ils étaient protégés, rien ne pouvait leur arriver, si ce n'est de monter en grade plus vite que les autres ou de pouvoir rejoindre leur province d'origine avant les collègues. Ils formaient une sorte de milice qu'on a retrouvée dans certaines manifestations qu'ils étaient chargés de dénaturer, en cassant les vitrines des magasins sur le parcours. Nous nous sommes organisés, avec un syndicat d'avocats et des magistrats, pour les surprendre avec le pavé à la main face à la vitrine. »

Un policier casseur a fini par se faire prendre sur le fait par le service d'ordre de la CGT : il avait une carte bleu-blanc-rouge, son arme de service sur lui et il faisait partie du SAC.

« Il nous arrivait fréquemment d'arrêter de beaux petits voyous de banlieue qui avaient cette carte bleu-blanc-rouge et de les voir sortir du commissariat plus vite que celui qui rédigeait le rapport à leur sujet, parce qu'il y avait eu une intervention d'en haut, raconte Bernard Deleplace. À notre niveau, on ne croisait pas de grands gangsters, mais quand vous les voyez récidiver, vous vous posez des questions. Gardien de la paix, vous vous dites qu'on ne peut pas se mélanger avec ces gens-là, qu'ils ne doivent plus être protégés. »

L'organisation syndicale à laquelle il appartient est très active à l'époque auprès des pouvoirs politiques. Lui-même se souvient de nombreuses interventions qu'il a pu faire auprès des ministres de l'Intérieur successifs – il en a connu douze dans sa carrière –, pour leur demander la suppression de ce Service d'action civique.

« Il a fallu des années pour que nous soyons entendus, dit-il. Chaque fois, la réponse était la même : "Vous fantasmez, ça n'existe pas." Profitant du fait que les instructions verbales ne laissaient pas de trace, ils nous faisaient passer pour des agités rêvant de collusions imaginaires. Devant Christian Bonnet, ministre de l'Intérieur sous Giscard, devant l'éphémère Jacques Chirac comme devant Michel Poniatowski, qui lui ont succédé, j'ai posé la même question : "Quand allez-vous mettre un terme aux agissements de ce Service d'action civique ?" J'ai insisté sur ce mélange des genres qui ne pouvait pas durer. Chaque fois, ils ont juré, promis d'y mettre un terme, mais tout continuait comme avant. »

Bernard Deleplace est de ceux qui n'ont jamais succombé à l'appel de la police parallèle. « Cela a fonctionné chez les gaullistes comme un réflexe de sauvegarde, analyse l'ancien policier. Ils ont choisi de s'appuyer sur des militants politiques pour faire la police à sa place, car ils n'avaient pas confiance dans cette police qui a toujours été assez démocratique, je pense à ceux qui allaient prévenir les juifs la veille de leur arrestation et de leur déportation, ces gardiens de la paix remerciés par le général de Gaulle à la Libération. Il est préférable, face à l'OAS comme aujourd'hui face au terrorisme islamique, de voter des lois d'exception provisoires, à condition qu'elles disparaissent avec le phénomène !

— Êtes-vous choqué par le fait que la République, dans les périodes troubles, passe des marchés avec les voyous ?

— Je pense que ce n'est pas très bon. Le voyou, que cherche-t-il ? La protection. Pour quoi faire ? Pas pour travailler, mais pour se livrer à ses mauvaises actions, n'est-ce pas ? Avoir recours à ceux-ci, même en temps de guerre, au-delà de la confusion, c'est courir le risque que cela se pérennise et qu'on finisse avec un système mafieux. On ne peut pas confier des missions de police à des inconnus, qui plus est fréquentant des voyous, quand ils n'en étaient pas eux-mêmes !

— Quand la gauche arrive au pouvoir, en 1981, comment François Mitterrand appréhende-t-il cette police ? Le nouveau président de la République, que vous avez fréquenté personnellement, craint-il les policiers ?

— La police inquiétait François Mitterrand. "Vous savez, m'a-t-il dit peu après son élection, je ne suis pas là pour longtemps. Dans six mois, on ne sera plus là. Ils nous chasseront." Il avait ce qu'on pourrait appeler le syndrome Allende [le dirigeant chilien victime du coup d'État de Pinochet en 1973]. "Je n'ai pas beaucoup de relais, a-t-il ajouté. Si vous entendez quelque chose qui se trame contre moi, ayez l'amabilité de me prévenir." Je me suis dit : "Le président force un peu la dose", mais il était vraiment inquiet. Il m'a demandé ce qu'on pouvait faire pour que la police ne soit plus aux ordres d'un parti. C'est à partir de là que nous avons œuvré pour l'allongement de la formation des policiers (de quatre mois, nous sommes passés à douze mois de formation professionnelle) et la modernisation de commissariats misérables, avec, à la clef, une amélioration du régime des retraites qui a bénéficié à tous, y compris à ceux qui étaient contre lui.

— Quel sort a été réservé au SAC ?

— J'ai considéré à l'époque que j'avais avec François Mitterrand un allié important pour mettre un terme définitif au Service d'action civique, mon deuxième allié étant le ministre de l'Intérieur, Gaston Defferre, mais la gauche a voulu respecter les règles. Une grande commission d'enquête parlementaire a été lancée, j'ai d'ailleurs été poursuivi en diffamation par le syndicat des commissaires de police, dont j'avais cité plusieurs membres, lorsque mon audition a été rendue publique. Ce rapport a servi de base juridique pour prononcer la dissolution du SAC, dont j'avais si souvent croisé le dernier patron, Pierre Debizet, dans les environs de la place Beauvau, comme s'il surveillait le ministre de l'Intérieur… »

Chapitre 8

Marseille, chaudron du clientélisme à la française

La marmite marseillaise a favorisé des relations directes entre les autorités politiques locales et la pègre, qui a ses plus importantes racines entre l'île de Beauté et la Canebière. Le SAC y a longtemps sévi, Charles-Émile Loo, 93 ans le jour où nous nous rencontrons dans son bureau sur le port, élu dans la cité phocéenne pendant quarante-trois ans, est bien placé pour en parler[1].

« C'était l'horreur, dit-il. Vous aviez des mauvais garçons de tous les côtés, mais ceux-là étaient contre nous. Charles Pasqua, que j'ai connu à Marseille

1. Charles-Émile Loo est décédé en août 2016, peu avant la sortie de cet ouvrage.

quand il était chez Ricard, avait conçu le SAC comme un service de protection du RPF [l'ancêtre des Républicains], mais un certain nombre d'individus se sont laissé dévoyer, voilà pourquoi, lorsqu'il a été ministre de l'Intérieur, Defferre l'a dissous violemment après lui avoir mené une guerre impitoyable. »

Les campagnes politiques, à l'époque, c'était « méchant », poursuit l'ancien, l'un des rares à avoir conservé la mémoire intacte de cette période. Lui et ses amis socialistes se retrouvaient dans la rue face aux communistes, « ces staliniens qui voulaient aller au paradis soviétique ».

« On ne se donnait pas des gifles, on se donnait davantage, admet-il. Les communistes étaient mauvais et nous on cherchait à être encore plus mauvais. Des coups de pied au cul, on en recevait ! On sortait d'une période d'une brutalité extrême : pendant les semaines qui avaient suivi la Libération, il y avait eu pas mal de petits règlements de comptes et de cadavres dans les rues… »

En face des socialistes, il y avait aussi Jean Fraissinet (un as de l'aviation, élu député « indépendant » et farouche défenseur de l'Algérie française), « le plus dangereux de tous », souffle Charles-Émile Loo, impeccable dans son costume et l'œil vif, sauf lorsqu'ils s'embuent passagèrement à l'évocation de sa compagne assassinée peu avant la Libération.

« J'ai vu des salles de réunion évacuées à coups de poing et de matraque, de tout ce que vous voudrez, dit-il. C'était physique. Chacun avait ses voyous. Fraissinet s'est longtemps appuyé sur les frères Guérini [parrains de Marseille], et nous sur Nick [Venturi, fiché au grand banditisme]. Ces gens n'avaient rien à voir avec les bandits de maintenant, des garçons qui meurent à 19 ans ; eux ne touchaient pas à la drogue, ils faisaient juste dans le trafic de cigarettes. On avait bien travaillé avec eux dans la Résistance. Ils étaient courageux, je vous assure, il fallait voir ce qu'ils balançaient comme bombinettes, comment ils allaient tuer froidement un mec ! C'est pas donné à tout le monde, qu'il soit allemand ou pas, de tuer un mec ! »

Une parole qui fait du bien car elle sonne juste, mais l'ancien élu n'a pas terminé son tableau.

« Il y avait beaucoup de Corses parmi ces gangsters, enchaîne-t-il, et c'est vrai que Defferre buvait le champagne avec Mémé Guérini les soirs d'élections, alors qu'ils nous avaient donné une trique terrible. "Oh ! t'es là, on boit un coup ?" Ça n'allait pas plus loin. On savait que Mémé et ses frères tenaient les quartiers, les 1er, 2e et 3e cantons. Quant à Nick Venturi, c'était l'homme de Louis Rossi, employé au service des sports de la mairie, qui était dans l'ombre et qui a créé les milices socialistes. »

Charles-Émile Loo ne triche pas. Il emploie les mots justes, même s'ils fâchent. Il ne cache pas ses relations amicales avec les gangsters, contrairement à d'autres.

« J'étais très ami avec Nick Venturi, admet-il. C'était comique de le voir partir pour Paris et le Grand Hôtel avec son chapeau, sa serviette, son parapluie, comme si c'était le prince de Monaco. J'étais très ami avec toute cette équipe, je ne les renie pas, ils m'ont d'ailleurs toujours respecté. Ils avaient beaucoup de pudeur. Ces garçons étaient arrivés de Corse pour la plupart, démunis de tout, et ils étaient au service de tel ou tel. On savait que "Milou Loo", comme on m'appelait, avait des amis sûrs ! »

L'homme ne tarit évidemment pas d'éloges au sujet de Gaston Defferre, « fils de notaire mais bagarreur, doté d'un courage exceptionnel », lui qui s'était déguisé en gendarme pour aller faire évader des Français d'une prison de Toulouse, pendant l'Occupation. Mais quand on présente Marseille comme une école du clientélisme, Loo ne comprend pas vraiment la question.

« Les plus pauvres allaient voir les communistes ou les socialistes pour leur demander s'il y avait une possibilité de travailler ou d'avoir un HLM, dit-il. Ils cherchaient la sécurité, ils voulaient se "planquer" à la mairie, dans les hôpitaux, ou au conseil général. Voilà comment les quartiers Nord sont devenus les quartiers Nord. On ne parlait pas de “clientèle” : on accordait un appartement parce que le fils venait de se marier et qu’il n’avait pas de toit… Aujourd’hui, tu te fais élire et on ne te voit plus, alors qu’avant on était sur le terrain.»

***

Difficile de faire une escale à Marseille sans entendre au moins un ancien responsable communiste, étant donné le poids qu’a longtemps pesé cette famille politique dans la ville.

Notre interlocuteur s’appelle Pascal Posado. Avec sa double casquette d’historien et d’ancien cadre du parti, il nous plonge sans le Marseille de l’avant-guerre pour y chercher le bon éclairage sur la vie contemporaine.

«Pour comprendre le Marseille d’aujourd’hui, il faut remonter à Simon Sabiani, un homme politique qui avait quitté le Parti communiste dans les années 1920, avant de devenir socialiste, puis doriotiste, et qui tirait les ficelles de la mairie, pratiquant toutes les embauches du personnel municipal et s’appuyant dans l’ombre sur les gangsters. Ce sont ces pratiques que Gaston Defferre a héritées, on l’a vu clairement s’appuyer sur des types qui étaient dans la traite des Blanches, le trafic de cigarettes, et plus tard celui de la drogue…»

À entendre notre interlocuteur, pas une seule embauche ne se faisait sans que Defferre soit dans le coup, depuis le balayeur jusqu'au directeur, en passant par les employés de l'hôpital, et c'est une partie de ces gens que l'on retrouvait dans les campagnes, avec les nervis et autres gangsters.

« C'est la base de ce système à la marseillaise, qui consiste à avoir en même temps des agents électoraux permanents et d'autres que l'on recrute au moment des campagnes, des gens que l'on remercie avec des cadeaux, des emplois, des logements, explique Pascal Posado, avant d'envoyer une pique en direction des socialistes, dont l'une des responsables, Sylvie Andrieux, a été poursuivie par la justice, soupçonnée d'avoir distribué des subventions à des associations plus ou moins fantômes[1]. La version contemporaine de ce système, dit-il, c'est l'association qui reçoit des subventions, en échange de quoi le bénéficiaire fournit des afficheurs et des gars pour le service d'ordre. »

La politique était en ce temps-là affaire de muscles, Pascal Posado le confirme, lui qui se souvient de ce

1. Condamnée une première fois à trois ans de prison, dont deux avec sursis, pour détournement de fonds publics, elle a interjeté appel. Condamnée ensuite à quatre ans de prison, dont trois avec sursis, par la cour d'appel, elle s'est pourvue en cassation, elle est donc présumée innocente en attendant le jugement définitif.

meeting où Marcel Paul, un ministre communiste qui avait dirigé le syndicat des services publics, s'était carrément fait tirer dessus. Une infirmière s'est interposée et a pris la balle à sa place.

« Les nervis n'étaient pas seulement là pour briser les réunions, mais pour pratiquer des exécutions le cas échéant, assène le militant de toujours. On a du mal à imaginer ce contexte, mais on ne peut pas décrypter l'actualité judiciaire récente si l'on n'a pas à l'esprit la manière dont Simon Sabiani tenait cette ville avec l'aide de quelques parrains. »

C'est dit.

***

Notre troisième interlocuteur politique sur le théâtre marseillais s'appelle Renaud Muselier. Premier adjoint au maire de Marseille de 1995 à 2008, député des Bouches-du-Rhône de 2007 à 2012, président délégué du conseil régional de Provence-Alpes-Côte d'Azur, c'est un incontournable, mais surtout un bon connaisseur des dessous pas toujours propres de la vie publique locale. La part des gangsters dans la conquête de Marseille par Gaston Defferre, territoire éminemment communiste, n'a pas de mystère pour lui.

«Durant la guerre, il y avait les voyous qui collaboraient avec les nazis et ceux qui étaient résistants. Gaston Defferre a remodelé Marseille avec ceux qui avaient gagné, mais cette ville est immense, deux fois comme Paris, avec un port qui reste la source de tous les trafics. Il a organisé quartier par quartier un système qui lui a permis de tenir la ville, ce qui lui a valu au milieu des années 1960 les attaques mémorables de ce chirurgien des hôpitaux, gaulliste, qui fit placarder des affiches avec une photo de la mairie de Marseille sur laquelle on pouvait lire : «Annexe des Baumettes» [la prison de Marseille].

Lui aussi, comme Pascal Posado, voit une filiation claire entre le système mis en place par Gaston Defferre et celui qu'a développé Jean-Noël Guérini, président socialiste du conseil général des Bouches-du-Rhône jusqu'à ses ennuis avec la justice[1], et pas seulement parce qu'ils sont issus de la même famille politique…

«Je vais vous citer une anecdote simple, mais très éclairante sur la façon dont cela se passait à l'époque, poursuit Renaud Muselier. Gaston Defferre aimait la mer et il avait un très beau voilier que l'on voyait à quai devant la mairie. Les marins qui l'entretenaient étaient employés municipaux et le bateau était lavé et

1. Mis en cause, Jean-Noël Guérini a été relaxé le 13 janvier 2016 dans un dossier pénal relatif à des détournements de fonds publics et recel. Il est mis en examen dans deux autres affaires, pour lesquelles, à ce jour, il n'a pas encore été jugé.

caréné au centre municipal de voile. C'était son bateau personnel, mais il régatait avec des employés municipaux et ça ne choquait personne, ni les journalistes ni l'État. C'était le bateau du maire, il faisait ses courses en mer et on était heureux de ça… Vous aviez ici une fédération socialiste très puissante qui pesait tellement sur le Parti qu'on les laissait tranquilles. Ils trichaient souvent et le système s'est perpétué. Ceux qui prenaient la relève conservaient des habitudes qui ne sont plus possibles aujourd'hui. Il y a eu des lois, des réformes, des condamnations dans tout le pays, mais ils ont oublié qu'ils étaient sur le territoire français. Ils se sont dit : "Mon père le faisait, pourquoi pas moi."

— Quelle est aujourd'hui la place des gangsters dans le paysage phocéen ?

— Les voyous n'ont plus une place aussi importante qu'autrefois dans la vie marseillaise. Ce sont deux mondes parallèles, complètement indépendants, mais il y a toujours des passerelles. J'ai des amis qui sont voyous, que j'ai soignés parce que je suis médecin, je ne suis pas voyou pour autant. Quand vous allez au stade Vélodrome, vous avez le préfet, l'archevêque, le voyou, le journaliste… ils sont tous là, c'est le peuple de Marseille, ça ne fait pas de vous un voyou. La question, c'est de savoir si dans notre activité, on travaille ou pas avec des voyous. Certains le font, d'autres non.

— Comment fait-on campagne aujourd'hui à Marseille ?

— On caricature toujours un peu Marseille, et nous on force toujours un peu le trait… Moi qui me suis présenté trente-quatre fois sur mon nom en vingt ans, aux cantonales, aux municipales, aux régionales, aux législatives ou aux européennes, je peux dire que la façon de faire campagne a beaucoup évolué. Avant, il fallait montrer qu'on était puissant, donc on affichait n'importe où, sur les trottoirs, sur les bancs, et celui qui tenait l'affichage tenait la rue et avait l'impression de pouvoir gagner l'élection. On affichait jour et nuit et ça nous coûtait une tonne. On passait la nuit à coller avec nos bénévoles et le matin arrivait l'équipe d'en face… Quand votre affiche est recouverte alors que la colle n'est même pas sèche, l'ambiance finit par se tendre. Et, suivant le profil de celui que vous avez en face, vous sortez les bâtons, les battes de baseball, les armes, c'est l'escalade permanente. Vous aviez des dockers qui se retrouvaient face à des voyous qui voulaient leur taper la tête parce qu'on avait recouvert leurs affiches… et on finissait par mettre du verre pilé dans la colle pour qu'ils se blessent en recollant… Ça, c'était il y a vingt ans. Aujourd'hui, si vous collez une affiche sur un trottoir ou sur un panneau qui n'est pas officiel, vous avez une amende… »

La gestion par la gauche des quartiers Nord de Marseille est-elle l'ultime avatar de ce clientélisme phocéen ? A-t-elle concédé une partie de la gestion de l'ordre aux caïds comme les anciens déléguaient le contrôle de la rue aux gangsters ?

« Celui qui choisit de laisser se développer le trafic pour avoir la paix dans son quartier se trompe, il fait une erreur tactique, prévient Renaud Muselier. À court terme il peut se réjouir, mais les trafiquants ne font que se développer et si vous ne les arrêtez pas, ils vous bouffent. La paix d'aujourd'hui sera la guerre de demain, alors autant faire la guerre tout de suite, parce que faire la guerre aux gros, c'est très compliqué… Cela dit, je ne crois pas que la gauche ait pressé la police de ne pas aller dans ces quartiers. De façon plus cynique, ils ont laissé dériver ces quartiers qui votaient pour eux, sans jamais se mêler de rien… Plutôt que de s'en mêler, ils vont filer quatre sous : "Vote pour moi et on est quitte." Donner de l'argent à une vraie association, avec un projet réel pour le quartier, on le fait tous. Quand vous êtes élu d'un quartier très difficile et qu'on vous demande de l'aide pour le club de foot ou le jeu de boules, c'est même votre devoir de le faire, et aussi la condition de votre réélection. Le problème, c'est cette dérive qui consiste à donner de l'argent à des associations globalement fictives, à traiter avec des présidents d'associations qui n'ont aucune d'activité…

— Pourquoi les quartiers de Marseille ne se sont-ils pas embrasés comme ceux de Paris lors des émeutes de novembre 2005 ?

— Il faut revenir à ce qu'est Marseille. On n'a pas la ville bourgeoise, catholique, classique, avec son centre-ville et sa chapelle d'un côté, et de l'autre la cité qui a dégénéré. Ici, tout est mélangé. La ville est ainsi faite que la pauvreté et la cité sont partout et qu'on est un peu tous ensemble. On essaie de s'entendre, ce qui est plus difficile quand on a une grosse cité collée à la vieille ville. Je me souviens que, lors des émeutes de novembre 2005, alors que j'étais adjoint au maire de Marseille et membre du gouvernement, on guettait le moment où nos quartiers entreraient dans le "match des cités", autrement dit cela démarrerait-il chez nous ? Cela a fini par se calmer sans que l'on entre dans la compétition. D'un côté, on était fiers de Marseille, ville tolérante, ville de respect, ville apaisée, mais la réalité, c'est qu'on a eu très peur…

« Est-ce que nos associations, nos "grands frères" ont réussi à empêcher que cela ne s'embrase ? Les trafiquants y sont aussi pour quelque chose, eux qui ne voulaient pas voir les flics chez eux. Il y a une espèce d'équilibre qui s'est fait naturellement entre notre action sociale et ces trafiquants qui ont protégé leur business. »

Marseille, chaudron où la potion ne déborde pas…

***

Après l'œil des politiques, l'œil des policiers.

Nous en avons interrogé quatre, tous originaires de la région marseillaise, où ils ont exercé à un moment ou à un autre de leur carrière.

On ne présente plus Lucien Aimé-Blanc, ancien commissaire de police, né à Marseille où il a exercé au début de sa carrière, connu du lecteur pour être déjà intervenu à plusieurs reprises dans ces pages. Comme d'habitude, l'homme ne tergiverse pas. Par exemple quand on lui demande de dresser son petit portrait personnel de Gaston Defferre.

« Ce n'était pas un enfant de chœur, dit-il. Il a conquis la ville les armes à la main avec l'aide des voyous, à qui il a renvoyé l'ascenseur. À l'époque, personne n'aurait tenu Marseille sans être bien avec les voyous. Ils étaient les patrons sur les docks et pouvaient briser des grèves. Defferre contrôlait en même temps la fédération socialiste la plus importante de France, et lorsque Mitterrand est arrivé au pouvoir, il n'a pas oublié qui l'avait fait roi. Il a renvoyé l'ascenseur à son ami Gaston, qui souhaitait par-dessus tout regarder son dossier place Beauvau, disent les mauvaises langues. Cela ne veut pas dire qu'en devenant ministre de l'Intérieur Defferre n'a pas été impitoyable avec les voyous. Quand on change d'étage, on ne connaît plus ceux qui vous ont permis de grimper, c'est de bonne guerre. Il ne leur a pas fait de cadeaux, sauf peut-être à son ami Nick Venturi, qui lui était si proche. »

Nick Venturi ? L'homme, fiché au grand banditisme, a déjà été cité par plusieurs de nos témoins comme un homme clef de la vie politique marseillaise, notamment par l'ancien élu socialiste Charles Émile Loo. Voici ce qu'en dit le commissaire Aimé-Blanc, « Lulu » pour les intimes :

« C'est un garçon qui était dans la mouvance de Defferre à la Libération. Il a été par la suite directeur commercial chez Ricard à l'époque où Charles Pasqua faisait partie de l'entreprise. En même temps, il était l'homme de tous les trafics corses que l'on peut imaginer, un véritable parrain. Pour le remercier de son aide au moment de récupérer *Le Méridional* et *Le Provençal*, deux journaux marseillais, et du soutien qu'il avait apporté comme supplétif au moment des campagnes électorales, ou pour briser les grèves sur le port, Defferre lui a attribué un bureau de "correspondant" à la mairie. Et quand il y avait un marché qui avait un sens pour lui, concernant par exemple les égouts ou la propreté, il lui concédait ce marché. »

Ce système aurait persisté jusqu'à une période récente sous une forme moins voyante. « Pourquoi voulez-vous que la nature humaine change ? demande le commissaire Aimé-Blanc. Les sociétés évoluent, mais elles s'adaptent rarement pour aller vers le bien ! »

« Gaston Defferre était une contradiction permanente, enchaîne l'ancien commissaire de police Charles Pellegrini, qui a lui aussi grandi à Marseille et que le lecteur a également déjà eu l'occasion d'entendre. Il avait un énorme problème, c'est qu'il était anticommuniste et, voyez-vous, on ne se bat pas contre la CGT à Marseille avec des Bisounours. C'était nervis contre nervis. Contre les gros bataillons du Parti communiste, formés par les dockers de la CGT, il a beaucoup puisé dans le vivier "voyous". Marseille était une ville extrêmement vivante, colorée, où tout se côtoyait. C'était au grand jour, pas tout à fait comme à Lyon, où comme disait Pagnol, "on cache les pets sous les draps". »

Charles Pellegrini ne dissimule pas avoir éprouvé « une certaine admiration » pour Gaston Defferre, un homme capable de se battre en duel et fidèle à Mitterrand contre vents et marées, mais il met un bémol : « Defferre, c'était "faites ce que je vous dis, mais ne faites pas ce que je fais". »

Du clientélisme à la marseillaise, Bernard Squarcini, déjà questionné dans ces pages en tant qu'ancien numéro deux des Renseignements généraux ou ex-patron de la direction centrale du renseignement intérieur, a également une approche très concrète : il a été préfet de Marseille à l'initiative de Nicolas Sarkozy.

« Le clientélisme, au sens étymologique du terme, fait partie de la panoplie que l'on est en droit d'attendre dans ce type de régions, dit-il. Marseille est une ville méditerranéenne avec un chiffre noir très important de l'immigration clandestine et des habitudes locales ininterrompues. Trouver un emploi à quelqu'un, un logement social, c'est la vie de l'élu, comme autrefois il intervenait pour que le fils d'un électeur effectue son service militaire pas trop loin du domicile. En Méditerranée, tout le monde est cousin de tout le monde, tout le monde se connaît, donc tout le monde s'entraide. Cela ne veut pas dire que s'il y en a un qui fait des bêtises ou commet une infraction, tout le monde va commettre la même infraction. Il y a des limites, mais celui qui est le mieux placé va tirer celui qui est moins bien placé, ou le pousser, voilà ce que l'on appelle le "clientélisme".

— Quel a été, historiquement, le rôle du grand banditisme ?

— Le grand banditisme historique a longtemps géré la situation, générant une espèce d'équilibre qui a volé en éclats avec la mise hors d'état de nuire de certaines figures. Cela a permis à des personnalités montantes de prendre la main sur de petits îlots, avec le développement d'une nouvelle forme de banditisme. Cela a été la fin d'une époque, où les services de police contrôlaient plutôt bien la situation, et une espèce de bouffée délirante a éclaté, avec de jeunes voyous qui raisonnaient en mètres carrés et une volonté de profiter très vite de tout, dans le style *Scarface*... On a affaire à Marseille à un secteur très pauvre. Alors que le nombre de personnes vivant sous le seuil de pauvreté doit tourner autour de 14 % en France, qu'il doit monter à 19 % en Seine-Saint-Denis, département référence en la matière, il dépasse les 24 % à Marseille. Parce que nécessité fait loi, vous êtes obligé d'avoir une économie souterraine... »

Une sorte de petite « mafiaïsation » serait à l'œuvre, invisible mais pas forcément douce, avec un État chaque jour un peu plus débordé... Une dérive que ne dément pas, mais pondère, notre dernier interlocuteur phocéen, le commissaire Roland Guilpain, ancien patron du service régional de la police judiciaire.

« Il est évident que Marseille est une ville où tout le monde se connaît, où tout le monde lève les bras, sans les refermer d'ailleurs, et que des élus peuvent connaître des voyous, nous dit-il dans ce bar de l'Estaque où cet

Aixois est venu à notre rencontre. Mais le système mafieux, c'est celui qui inclut dans son équipe, dans sa bande, des gens qui peuvent rendre service dans tous les domaines, politique, justice, police, impôts, et ce système, je ne l'ai pas rencontré à Marseille, mais j'ai pu l'approcher dans le Var, à l'époque de Jean-Louis Fargette [ex-parrain du Var]... Le milieu corse est cependant un milieu structuré, organisé, avec un chef qui s'étend sur la Corse, sur les Alpes-Maritimes, sur le Var, sur Paris, un peu partout, ce qui lui donne un profil complètement différent de celui des cités où on a affaire à un phénomène strictement local. »

Marseille, miroir de la France ?...

Chapitre 9

La République vue par les gangsters / 3 : « Le milieu, c’est un peu comme le Vatican... »

« De 1960 à nos jours, cet homme est devenu un chef de clan à Marseille après avoir livré une guerre au clan Zampa et surtout s’être mis en ménage avec Simone de Palmas, la sœur de Francis Vanverberghe, dit Le Belge », rapporte une note rédigée par la police judiciaire au sujet de Tony Cossu. « Il est réputé pour s’être évadé à maintes reprises et s’est distingué dans de multiples vols à main armée ou attaques de fourgons blindés… »

Avec sa carrière légendaire et son sens de la formule, il a déjà publié deux romans, tous deux écrits en prison, il est notre troisième témoin, côté gangsters.

« Au total, je dois me facturer pas loin de vingt-huit ans de prison, même si je n'ai pas l'impression que ça m'est arrivé, mais j'ai toujours cherché à m'évader, raconte cet homme qui devrait être depuis longtemps à la retraite, étant donné qu'il a franchi le cap des 70 ans depuis un moment. Déjà, tout petit dans les commissariats, à Marseille, je m'enlevais les menottes et je partais. Ils me couraient après, mais ne me rattrapaient pas. On me mettait en prison, je m'évadais. On allait me condamner à mort, je m'évadais, jusqu'au jour où un condé parisien à qui je venais d'échapper, avec les menottes aux poignets, m'a appelé "Tony l'anguille". Il a dit : "Je l'avais dans les mains, il m'a glissé comme une anguille !" C'est resté. »

— Quelle définition donneriez-vous de ce milieu auquel vous avez appartenu toute votre vie ?

— Le milieu, c'est un monde, comme la politique. C'est un monde de marginaux, de gens qui passent à travers les lois s'ils le peuvent… Dans le milieu, on se connaît presque tous. On s'entraide si on peut, on se tue aussi, ça arrive. C'est une autre famille, où on a nos propres lois, complètement différentes de celles des honnêtes gens. Un peu comme le Vatican, où ils ont eux aussi leurs lois.

— Quel était le rapport qu'entretenaient les habitants des quartiers populaires avec la police, dans les années 1960, quand vous aviez 20 ans ?

— Dans les quartiers ouvriers, la police, c'était le démon. Quand elle venait, elle se faisait caillasser, parce que le pauvre, il se démerde par tous les moyens, surtout des combines... On était des étrangers, des fils d'immigrés. Quand la police approchait avec le fourgon, on était tous prévenus, on quittait le bar et on traversait la voie ferrée. Chaque fois qu'ils montaient, ils étaient marron. Un jour, j'ai quand même pris une balle, c'est à ce moment que j'ai connu la Corse, où j'ai commencé à faire ma vie, à préparer quelques petits coups. Les jeunes de la Brise de mer commençaient à se lancer, ils ont vu que j'étais en train de me bourrer sur leur île et se sont associés avec moi.

— Quel genre de services les voyous peuvent-ils rendre aux politiques ?

— Ce sont des petits trucs. Parfois, les politiques ne veulent pas se faire de coups tordus entre eux, alors qu'un voyou peut passer par-derrière, ouvrir la porte et dire : "Toi, tu vas te calmer maintenant, hein, tu as compris ?" Le politique se calme, l'autre est content. Le voyou en impose, c'est un homme dangereux, craint, qui a des méthodes un peu particulières et tout cela se passe en eaux troubles, parce que, entre eux, les politiques se maudissent, l'animosité est même parfois atroce. En échange du service rendu, le voyou ira taper à la porte du politique, qui a la main au niveau des commerces, des appartements, des permis en tout genre. Un service en vaut un autre, c'est pas compliqué. On échange de bons procédés.

— Il fut un temps où Dominique Venturi, dit Nick, voyou notoire dont plusieurs témoins nous ont déjà parlé, avait ses entrées à la mairie de Marseille, tenue à l'époque par Gaston Defferre. Comment est-il arrivé là ?

— Nick Venturi a fait son trou, il était estimé, il a réussi à monter dans la voyoucratie, un peu comme Mémé Guérini. Quand tu es une tête pensante, quand tu as une aura, les petits te demandent conseil, voilà. Le vrai voyou, quelque part, sa vie ce n'est pas de rester en bas, c'est de monter. Il y en a qui aiment qu'on parle d'eux et d'autres qui montent discrètement : pour vivre heureux, vivons cachés !

— Qu'est-ce qui différencie un voyou d'un politique ? Qu'est-ce qui les rapproche ?

— Il faut être un peu cinglé pour être voyou, mais cela présente un avantage : le voyou connaît le mal, il sait que dans sa vie tout peut arriver, la mort comme la prison... Les politiques, eux, ils ont une embellie, c'est qu'ils ne vont jamais en prison. Ils peuvent escroquer des milliards, faire leurs combines, leurs procès sont remis à plus tard, alors que pour nous, c'est en avant, direct à la potence. Ils sont les plus forts, les politiques, mais nous avons une chose en commun, c'est l'ambition. À part ça, c'est chacun ses méthodes. Quand la haine est là, ils en restent aux mots, au procès, alors que chez les voyous, les différends se règlent à coups de calibre.

— Y a-t-il un homme politique qui vous a favorablement impressionné ?

— François Mitterrand m'a plu. Il aimait sa campagne, son chien, il avait une idée de la France, il s'est battu pour y arriver. Personne n'est tout blanc ou tout noir, mais je pense qu'il n'a pas cherché à s'enrichir personnellement pendant qu'il était président. Il a aussi tenu ses promesses : il a dit qu'il ne voulait plus de la peine de mort et il l'a supprimée, alors qu'il aurait pu se couler avec ça.

« Dans la politique, moi, je verrais bien des gens comme l'abbé Pierre, des gens qui ont des idées, une intelligence, qui aiment leur pays, qui ne font pas ça pour s'enrichir, mais ça n'intéresse pas. C'est un monde de renards, de requins, chacun veut grignoter sa part. De Gaulle était comme Mitterrand. Il n'était pas là pour mettre des sous de côté. De Gaulle savait prendre ce qu'il pouvait pour faire marcher un petit peu son pays. Ce n'était pas un saint, mais il avait ce côté pas intéressé, contrairement à d'autres.

— Qu'auriez-vous fait pendant l'Occupation, période durant laquelle un certain nombre de voyous ont “mangé” avec les Allemands ?

— Je suis quand même cartésien. Tant qu'à faire, j'aurais défendu mon pays, mais je n'aurais pas mangé à droite, à gauche. Ce n'est pas trop mon truc, parce que quand on se vend pour ça, on peut se vendre pour autre chose.

— Comment l'Espagne est-elle devenue le pays refuge des grands voyous français ?

— Nous y sommes arrivés à la bonne époque, en 1968, sous Franco. Leur problème, ce n'était pas les voyous, c'était les Basques. Quand j'étais en prison, j'ai vu comment ils les torturaient et les assassinaient, j'ai même vu passer les cercueils. Ils ne leur faisaient pas de cadeaux ! Personnellement, ils ne m'ont jamais demandé d'entrer dans leur système et de balancer des petits renseignements, d'ailleurs je n'aurais jamais enquillé là-dedans, ça n'a jamais été mon truc.

« Quand l'Espagne s'est libérée, doucement le trafic [de drogue] s'est amplifié et comme toujours, il y a eu exagération. Avec mes amis, nous sommes partis du côté d'Alicante, puis de Benidorm, parce que Marbella, c'est devenu chaud bouillant. Les Français sont arrivés, boum, boum, boum, avec leurs règlements de comptes, et l'Espagne n'était pas prête à ça.

— Cette génération a notamment basculé avec des personnages comme Farid Berrahma, un jeune Marseillais que les policiers ont rebaptisé "le Rôtisseur" à la suite d'un certain nombre de règlements de comptes avec carbonisation des victimes. Comment avez-vous connu cet homme ?

— J'ai connu ce garçon en prison, il était jeune et il avait un problème avec quelques mecs, en particulier avec l'un d'eux qui l'avait balancé. Il m'a dit : "Oh, Tony, si jamais tu sors, tu peux le faire se rétracter", j'ai dit pourquoi pas, et quand je suis sorti j'ai attrapé le mec et je lui ai dit que des jeunes allaient prendre des années de prison à cause de lui, alors il s'est rétracté. Je lui ai rendu service parce que je suis comme ça : si on me demande quelque chose et que je peux le faire, je le fais. Quand il est sorti de prison, Berrahma a voulu me connaître plus intimement et j'ai été un seigneur avec lui. Il a voulu venir en Espagne, je l'ai logé, mais c'était un malade, il voulait manger le monde et il n'a pas arrêté d'employer des méthodes tordues pour y parvenir. Mais je ne préfère pas trop parler de ces choses-là…

— C'est le premier Maghrébin qui voulait devenir roi de Marseille ?

— Il était jaloux de tout le monde, jaloux de mon beau-frère Francis [Vanverberghe, dit Le Belge[1]], jaloux des voyous marseillais. Il était prêt à tout pour arriver et les autres se sont rendu compte qu'il devenait dangereux. C'est comme ça qu'il s'est fait tuer, et, quelque part, bon débarras !

— Les Arabes prendront-ils un jour la place occupée par le milieu traditionnel, composé de Marseillais d'origine corse, italienne ou sarde, comme vous ?

— Peut-être qu'un jour un type plus intelligent dira aux autres de se calmer, qu'il y a un gâteau et que tout le monde peut manger à condition de ne pas faire n'importe quoi…

— Les voyous marseillais se sont eux aussi beaucoup entretués, notamment pour le contrôle des machines à sous…

1. Considéré comme l'un des parrains de Marseille.

— Tout ce qui est facile, comme les machines à sous, amène des guerres. Chez les braqueurs, il n'y a pas ces guerres parce que c'est un boulot où tu risques ta vie, où tu risques vingt ans de prison. Les machines à sous, c'est comme la drogue, tout le monde peut en faire, tout le monde peut porter une valise, encaisser l'argent des machines.

— Quelle est la spécificité marseillaise ?

— Ce n'est pas une grande ville, Marseille, donc tout le monde arrive à se connaître. C'est un peu une grande famille. C'est pareil en Corse, tout se sait, ce qui amène ces amalgames, où voyous et politiques se côtoient. Tu vois un banquier, le maire, un commissaire, un juge, "bonjour, bonjour".

— Si demain le gouvernement légalisait le cannabis, les voyous se retrouveraient-ils à court de revenus ?

— Personnellement, je trouve que ce serait une bonne chose. La vraie question, c'est l'éducation. Je ne me suis jamais drogué, cela ne m'est jamais venu à l'esprit, maintenant je comprends qu'il puisse y avoir des faiblesses, cela dit il y a beaucoup plus de morts en France à cause du tabac et de l'alcool qu'à cause de la drogue. Les voyous, eux, iraient voir dans les pays voisins, où ce serait encore interdit. Le voyou n'a pas de patrie, c'est un peu un voyageur. Ou alors ils la feront moins cher que le tarif officiel et les prix tomberont. Regardez les Américains. Ce sont eux qui ont réclamé des peines très lourdes à la France, j'ai un ami qui est en prison depuis dix-huit ans pour trafic de drogue, et aujourd'hui ils commencent à légaliser la marijuana…

« C'est la société de consommation qui nous a apporté des problèmes. Toutes les cinq minutes, à la télévision et ailleurs, tu es matraqué : bam bam, achetez ci, achetez ça, achetez les Nike parce que le petit à l'école il a les mêmes, le portable, et les gens se mettent à la rue, alors quelque part, si le fils peut trafiquer un petit peu, ça améliorera le quotidien… »

Chapitre 10

Corse, un poison nommé Francia

La Corse n'est pas seulement le terroir qui a fourni à la France son plus grand lot de bandits patentés. C'est aussi sur l'île de Beauté que l'État français s'est fourvoyé dans une opération de contre-terrorisme dans laquelle il s'est passablement déshonoré. À la manœuvre, un groupuscule paramilitaire baptisé « Francia », filiale insulaire du SAC…

Une erreur historique au sujet de laquelle le Dr Edmond Siméoni, l'un des inspirateurs et fondateurs du mouvement autonomiste corse, père de l'actuel maire de Bastia et président de l'exécutif régional, est intarissable. Et très pédagogue, lui qui revient, en guise de préambule, sur l'événement qui a fondé son engagement en politique : l'affaire de la cave viticole d'Aléria, le 22 août 1975, dans la foulée de l'arrivée dans l'île des pieds-noirs d'Algérie, en 1962.

«Je m'étais engagé dès 1960, quand le général de Gaulle avait envisagé de créer en Corse une usine d'expérimentation nucléaire. La mobilisation a fait échouer ce projet. La contestation s'est organisée pour déboucher sur un régionalisme qui évolue vers un autonomisme extrêmement fort. C'est à partir de là que cela s'envenime vraiment avec l'État. La France considère qu'elle est chez elle en Corse, elle n'a de comptes à rendre à personne et ne veut pas entendre parler de décentralisation. Le conflit éclate à Aléria avec l'affaire de la chaptalisation. Alors que la Corse consomme chaque année cinq mille tonnes de sucre pour ses besoins domestiques, on importe vingt mille tonnes pour sur-chaptaliser, c'est-à-dire enrichir le vin afin de produire une vinasse infâme, une bibine qui ne trouve pas preneur. Les patrons des caves d'Aléria, parmi lesquels figurent de nombreux rapatriés, et aussi quelques Corses, sont montrés du doigt, mais, au lieu de sanctionner les fraudeurs, l'État se range de leur côté et nous réprime, nous qui dénoncions cette atteinte aux droits. Le pouvoir central envoie douze cents gendarmes pour neutraliser dix types qui occupent une cave. C'est la politique de la force, canonnière, bateau, hélicoptère, alors qu'il n'y a aucun risque de contagion, pas d'insurrection, rien. L'assaut fait deux morts et un blessé grave et on entre dans le cycle de la répression et d'une justice d'exception. »

Un an après, au mois de mai 1976, naît le FLNC [Front de libération nationale corse] dont le bilan tient en quelques chiffres : deux cent cinquante morts, onze mille attentats, une atmosphère irrespirable et la radicalisation d'une jeunesse corse contre l'État français.

« Non seulement le FLNC n'avait aucune chance de gagner, mais l'État s'en est servi pour nous faire passer, nous, les autonomistes, pour des partisans de l'indépendance et de la lutte armée », tranche Edmond Siméoni.

C'est à cette époque, alors que Valéry Giscard d'Estaing est président de la République, qu'apparaît dans le paysage corse cette organisation clandestine appelée Francia, adossée au SAC. Un épisode barbouzard, dont notre interlocuteur connaît tous les détails.

« L'État joue une mauvaise carte à partir de 1977 en laissant se constituer une milice appelée Francia, raconte-t-il. Celle-ci ne s'attaque pas au FLNC, mais à nous qui nous battons dans la légalité, en organisant soixante-deux attentats extrêmement graves. On a voulu tuer ma mère, on a voulu tuer des gens de ma famille. Je rencontre à l'époque tous les élus corses pour leur dire que ces types vont générer une guerre civile, mais l'État ne répond pas. C'est biblique.

— Pourquoi s'en étaient-ils pris à votre mère ?

— Leurs conseillers corses leur ont dit : vous voyez qu'il ne répond jamais, qu'il ne cède pas à la violence, qu'il ne veut rien entendre. On va voir s'il est résistant. On va lui flinguer sa mère et là, il aura deux solutions : il viendra sur le terrain de la vengeance, sinon il faudra qu'il arrête de faire de la politique. Francia nous avait aussi brûlé une imprimerie dans laquelle on avait investi 80 millions de centimes collectés sou par sou. Il ne nous est resté qu'un tas de cendres et de ferraille.

— Qui étaient les hommes de Francia ?

— On les a très vite identifiés. Niveau encadrement, il y avait quelqu'un issu de la sécurité civile qui avait perdu une jambe dans un attentat, entouré d'une dizaine de types, des nageurs de combat, deux ou trois décervelés, sept ou huit voleurs de poules, du droit commun, mais vraiment le bas du caniveau dans la pègre. Cela n'aurait pas gêné l'État qu'ils soient liquidés, cela n'aurait pas troublé l'ordre social, mais je me suis battu pour qu'on ne tue pas les types de Francia et j'ai heureusement été suivi sur ce plan.

— Comment avez-vous identifié les membres de Francia ?

— On était toutes les nuits en éveil, toute la Corse l'était, même les gens qui n'étaient pas avec nous surveillaient. On les a identifiés à l'occasion de plasticages, avec l'aide de Corses qui travaillaient dans la police et nous renseignaient, sur eux et sur leurs agents traitants. »

L'opération était-elle téléguidée ? Cela n'a pas été officiellement démontré, mais pour Edmond Siméoni, cacique d'entre les caciques, pétri de certitudes après un demi-siècle de militantisme, cela ne fait aucun doute. « Il y a même un préfet dont je n'aurai pas la cruauté de rappeler le nom, c'était un compatriote, qui a dit quand on nous faisait sauter : "Eh bien, on leur rend la monnaie de la pièce", ce qui était faux, parce qu'on ne faisait sauter personne », s'enflamme le docteur de l'autonomisme corse. Il a d'ailleurs très vite rencontré Jacques Chirac et Charles Pasqua rue de Lille (siège du parti gaulliste), avec un ami avocat pour lui faire part de ses soupçons. Il leur a donné les noms des barbouzes et leur a dit : « Vous verrez qu'un jour nous les prendrons en flagrant délit et qu'ils auront sur eux les cartes du RPR et les cartes du SAC. » Chirac se serait tourné à quatre reprises vers Pasqua pour lui dire : « Est-ce que tu as bien entendu ce que t'a dit Edmond Siméoni ? Est-ce que tu as bien entendu ?» Il n'aurait rien dit d'autre et Pasqua, en bougonnant, aurait lâché : « Oui, j'ai entendu. » Il venait de leur dire qu'un jour ils porteraient le chapeau et qu'il allait impliquer le RPR publiquement. « Chirac, qui est un animal politique, n'a pas eu besoin de dessin, achève notre interlocuteur. C'était peut-être du bricolage, mais l'équipe de Francia était couverte ! L'État voulait empêcher un sentiment identitaire de renaître. C'était une politique coloniale. »

Quand il est arrivé sur place, le jour de l'interception du commando de Francia sur la commune de Bastelica, Edmond Siméoni a demandé aux militants s'ils avaient fouillé la prothèse de ce fameux commandant de la sécurité civile. Ils ne l'avaient pas fait, mais il n'y avait finalement pas d'arme à l'intérieur. Au bout de trois jours de cohabitation forcée, le chef des barbouzes lui a confié qu'il s'était « drôlement trompé », parce qu'il les prenait pour des « bandits ». « Or la première chose que j'avais faite, c'était de lui demander le nom de son médecin et de son cardiologue, rappelle le docteur, avant de ramasser adroitement la mise : Les barbouzes, ce n'est pas une réponse politique, c'est une réponse maladroite, surtout quand elle est démasquée. Cela a contribué à retourner les Corses contre l'État. »

Dans les années qui ont suivi, n'y a-t-il pas eu parfois confusion des genres également du côté du mouvement nationaliste, avec des cas d'enrichissement personnel sur le dos de la cause et une imbrication de plus en plus voyante entre crime et politique ? Edmond Siméoni ne conteste pas, mais ne situe pas l'origine du mal en Corse, pas seulement du moins.

« Les dérives ont commencé du fait de l'autonomisation des régions du FLNC, concède-t-il. Il y a eu des gens qui ont quitté le politique pour devenir des percepteurs, qui ont fini par confondre politique et droit commun. Dans toutes les guerres de libération, toutes sans exception, il y a eu des dérives similaires. L'État a eu beau jeu de s'en servir. Dès que quelqu'un était pris dans une affaire de droit commun, on disait : ce type a été nationaliste. Cela relève du mauvais procès. »

Et le docteur de pousser sa démonstration en rappelant comment l'État avait maintenu la Corse dans la misère pendant des années, avant d'investir massivement au tournant des années 1960, dans le sillage de l'arrivée des rapatriés, ce qui aurait contribué à « corrompre certaines élites » et à attirer des bandits corses qui avaient jusque-là vocation à s'exporter sur le continent et dans les colonies…

« Siméoni, lui a dit un jour Bernard Legras, un procureur général particulièrement investi contre le crime organisé, nous avons ouvert deux cents pistes, je vous garantis que dans quelques années le crime organisé n'existera plus. » « Est-ce que je pourrais avoir votre téléphone ? » lui a-t-il répondu. « Pourquoi ? » « Parce que j'aimerais vous appeler si ça n'a pas changé. »

« La réalité, observe-t-il une quinzaine d'années plus tard, c'est que ça a empiré. Ils ont bien créé un pôle financier pour contrer l'argent sulfureux, mais il est resté des années sans magistrat à sa tête. Pendant ce temps, la mise en valeur touristique a vu changer de mains un grand nombre de biens avec la complicité d'un certain nombre d'élus, de spéculateurs, sur fond de non-droit. Des procès ont été faits, notamment par des associations environnementales, certains ont été gagnés, mais je ne vois jamais l'État se constituer partie civile, peut-être parce qu'il a intérêt à ce que la Corse, ça devienne Palerme. »

Et le leader autonomiste, qui nous reçoit dans son appartement d'Ajaccio, transformé en quartier général de la campagne pour les élections à venir (nous sommes le 17 juillet 2015), d'enfoncer le clou avec l'art du bretteur :

« L'essentiel, pour l'État, c'est de se débarrasser de cette identité qui devient extrêmement prégnante. C'est comme les enquêtes policières. Est-ce qu'il vous semble concevable que la police n'élucide qu'un assassinat sur quatre-vingts dans la région d'Ajaccio ? C'est parce que la Corse protège les mafieux, nous disent-ils à Paris, mais je pose une question de rattrapage : comment se fait-il qu'ils arrêtent tous les militants nationalistes, même pour des attentats commis il y a dix ans ? Et attendez, on ne tue pas le vendeur de came, on tue le patron de la contestation agricole, le syndicaliste, on tue un maire à cause du plan d'occupation des sols, on tue le président du parc régional, on tue le bâtonnier de l'ordre des avocats, on tue le président de la chambre de commerce… Vous savez pourquoi on les élimine ? Parce qu'ils n'ont pas voulu marcher. Ça veut dire à bon entendeur. Il n'y a que la mafia qui fait ça. »

Edmond Siméoni irait-il jusqu'à dire que l'État s'arrange du crime organisé ? « Quel est le seul rempart crédible contre le crime ? s'enflamme-t-il. C'est l'État. Il n'y a que l'État qui a pu ramener un semblant d'ordre en Sicile. Mais en Corse, l'État a un problème, ce sont les gens comme moi, qui voulons simplement que les affaires de la Corse soient traitées localement. Si on avait décentralisé il y a cinquante ans, quand le général de Gaulle l'a proposé à Lyon, ne croyez-vous pas que l'on aurait évité cette dégénérescence et beaucoup d'abus ? On ne leur a pas demandé de partir, on ne leur a pas demandé de faire leur valise, de nous rendre la base aérienne de Solenzara ou le camp de la légion, juste de nous permettre d'être nous-mêmes… »

Fidèle à lui-même, sincère jusqu'au bout des ongles, Edmond Siméoni ne sauvera même pas Charles Pasqua.

« Il y a des nationalistes qui ont pensé que l'accent du terroir aidant, on pouvait manger avec Charles Pasqua et faire des accommodements pas tout à fait catholiques. Ça n'a pas duré longtemps, d'ailleurs cela s'est très mal fini pour certains protagonistes… » Première pique, assortie du coup de pied de l'âne : « Charles Pasqua avait choisi la France depuis longtemps, d'ailleurs il s'est fait enterrer sur le continent. »

***

À quelques kilomètres de là, Dominique Bianchi nous reçoit dans sa maison de Villanova, village dont il a été maire pendant dix ans. Drapeau corse flottant au vent, souvenirs du FLNC, dont il a été membre de 1983 à 1998, l'homme affiche haut et fort la couleur. Sympathisant nationaliste depuis 1972, compagnon de route d'Edmond Siméoni, il règle à son tour le sort de Charles Pasqua en quelques mots, l'œil vif de celui qui est habité par sa cause :

« Charles Pasqua était plus marseillais que corse, d'ailleurs ça se voyait, il aimait le pastis. Il était provençal, avec ce côté Tartarin de Tarascon. Lors de son premier passage place Beauvau, entre 1986 et 1988, il y a eu une répression accrue, des affiches à l'américaine, avec récompense et j'ai été arrêté, mais le monde nationaliste a tenu bon et les attentats ont continué. En 1993, lors de son deuxième passage à l'Intérieur, j'ai rencontré Charles Pasqua en tant qu'élu. Je lui ai dit : "Monsieur le ministre, la répression ça ne marche pas", il a répondu qu'il avait compris. Il recevait les nationalistes à tour de bras pour les manipuler, s'inspirant sans doute de cet écrit d'Albert Memmi : plus on caresse le colonisé dans le sens du poil, même s'il est nationaliste, plus il est content. Ça s'est terminé par une "sale guerre" entre nationalistes, dix-huit morts en dix-huit mois. On a passé un an et demi à pleurer et à porter des cercueils et je pense que les manipulations de Charles Pasqua y sont pour quelque chose. C'était ce qu'il faisait de mieux, donner des passe-droits aux uns, promettre aux autres, dresser finalement les uns contre les autres. Résultat, le mouvement nationaliste a été décrédibilisé pour une bonne dizaine d'années. »

Mais si nous sommes venus à la rencontre de Dominique Bianchi, c'est pour approfondir l'équipée barbouzarde de Francia, dont Edmond Siméoni nous a livré les grands traits.

« C'est Marcel Lorenzoni [militant nationaliste] qui nous a alertés, le 3 janvier 1980, raconte-t-il comme si les faits s'étaient produits hier. Les barbouzes avaient prévu de l'enlever trois jours plus tard à Bastelica. Le 6 janvier, nous sommes donc montés d'Ajaccio avec quelques amis. La route était enneigée, donc ils roulaient doucement. On les a braqués avec un fusil à pompe et, à notre grande surprise, on a trouvé dans leur voiture des dizaines d'armes et de talkies-walkies, ainsi que ce commandant, chef occulte de Francia, accompagné de deux hommes. Après un simulacre d'exécution, nous les avons fait parler et ils ont avoué des dizaines d'attentats, mais aussi ceux qu'ils préparaient. Ils devaient ce jour-là enlever Marcel Lorenzoni, l'emmener sur une plage, le torturer pour le faire parler et le faire disparaître en mer. À la limite, on était dans une assistance à personne en danger, donc on a alerté la presse locale, avant de solliciter la presse parisienne et internationale. C'est là qu'on a vu débarquer entre huit cents et mille gendarmes en tenue blanche, sortis de leurs Pumas pour prendre le village d'assaut. Ça faisait un peu penser au Djebel, à la prise des Mechta. Une grande partie d'entre nous ont été pris, les autres ont forcé le barrage et sont allés directement à l'hôtel Fesch, à Ajaccio, où il n'y avait malheureusement aucun journaliste. »

Après l'intervention des gendarmes du GIGN, ce sont quarante-six militants de l'UPC [Union du peuple corse], dont Dominique Bianchi, qui se retrouvent en prison. Voyant les barbouzes libérées immédiatement, ils entament une grève de la faim qu'ils ne stopperont que vingt-deux jours plus tard, à la demande d'Edmond Siméoni. Quelques mois après, Dominique Bianchi écrit à la Cour de sûreté de l'État pour annoncer qu'il refusait de comparaître, car lui et ses camarades ne reconnaissaient pas cette juridiction spéciale aujourd'hui dissoute. Verdict : Marcel Lorenzoni, Paul Cortinchi et lui écopent de quatre ans de prison, avant d'être amnistiés en mai 1981.

Comme Edmond Siméoni, Dominique Bianchi ne doute pas un instant du fait que ces barbouzes étaient reliées à de hautes instances de l'État, même si les éléments qui permettent de le démontrer sont ténus. C'est l'époque où le relais de Radio Corse internationale, une radio libre basée sur l'île d'Elbe, qui donnait un souffle d'air frais, a sauté après une visite des nageurs de combat du SDECE venus de la base d'Aspreto, à Ajaccio. Une vieille pratique héritée de l'État colonial, la France ayant toujours employé des officines de barbouzes, étymologiquement des porteurs de fausses barbes, des clandestins à la solde du pouvoir faisant le travail que le pouvoir ne pouvait faire officiellement. »

Cela ne s'est d'ailleurs pas arrêté avec Francia, si l'on en croit notre interlocuteur, qui voit la main de l'État (socialiste en l'occurrence) derrière l'enlèvement de Guy Orsoni, frère du militant nationaliste Alain Orsoni, en juin 1983. Des faits dont il livre sa version, largement partagée par ses camarades :

« Des truands protégés et suivis par la police devaient enlever Alain, mais ils se sont trompés. Guy a été torturé à mort et son cadavre n'a jamais été retrouvé. C'est la première fois qu'on s'attaquait physiquement à un militant et la vengeance a été impitoyable. Le FLNC a réagi violemment en envoyant trois hommes – Bernard Pantalacci, Léon Alexandre et Pierre Albertini – dans la prison d'Ajaccio, avec mission de tuer les assassins [présumés, faut-il le préciser ?]. Et qu'apprend-on à l'occasion de leur procès ? Qu'un haut fonctionnaire avait reçu l'un des protagonistes de l'enlèvement de Guy le lendemain des faits, mais aussi que les filatures des truands en question avaient été interrompues la veille. Qui est le plus criminel des deux ? Qui utilise le banditisme contre les nationalistes ? »

Questions auxquelles Dominique Bianchi a sa réponse, bien sûr.

«Quelque temps auparavant, François Mitterrand était venu en Corse et avait parlé de “peuple corse”, cette reconnaissance en gestation ne plaisait pas à tout le monde», lâche-t-il.

Une pause, le temps d’émincer quelques tomates cueillies dans le petit potager en contrebas de la maison, et Dominique Bianchi martèle ses classiques.

«Chaque fois qu’un pays sous colonisation britannique voulait son indépendance, la réaction de l’opinion britannique consistait à se féliciter d’avoir un nouveau membre du Commonwealth; pour les Français, c’est comme si on leur arrachait le cœur. Ils n’acceptent pas qu’une partie du territoire puisse se détacher peu ou prou de la France une et indivisible. La Corse a toujours été considérée comme une colonie, mais elle n’a pas de pétrole, ni de gaz naturel. La matière première, c’est l’homme. Avec quinze mille morts en 1914-1918, la Corse a été saignée à blanc, puis l’État a décidé de peupler ses colonies et les Corses sont partis en Afrique noire, en Cochinchine, à Madagascar. Ayant grandi dans un système tribal, la plupart se sont sentis chez eux, ils ont d’ailleurs été mieux acceptés par les colonisés que les autres Français…»

De quoi alimenter les réseaux qui ont irrigué la République, depuis les pays d'Afrique francophones où ces Corses ont pris racine, travaillant pour eux-mêmes, mais aussi parfois pour cet État, dont Dominique Bianchi continue, quarante ans plus tard, à se méfier. Un État qu'il sent capable de réactiver à tout moment ses réseaux barbouzards, « si les nationalistes devenaient un jour majoritaires, dit-il avant de citer son proverbe corse préféré : "Le renard peut perdre son poil en été, mais il ne perd jamais sa ruse ni son vice."

***

Avant de refermer le dossier Francia, il n'est pas sans intérêt d'entendre ce qu'en dit, avec le recul, le plus corse des commissaires de police, Charles Pellegrini, dont on a déjà vu qu'il s'exprimait avec une certaine franchise, que ce soit au sujet des jeux ou de l'histoire marseillaise. Verdict.

« On a parlé d'opération barbouzarde en Corse, mais c'était quoi Francia ? Effectif : dix. Qualité de l'effectif : moyenne. Résultat de l'opération : quasiment nul. La Corse – c'est valable pour les flics, pour les voyous comme pour les barbouzes – est un pays où on ne peut rien faire sans que tout le monde sache très rapidement qui fait quoi. S'il n'y avait pas eu quelques conséquences tragiques, je dirais donc que l'épisode Francia a été une vaste comédie : tout le monde savait qui en faisait partie, ce qu'ils allaient faire, quand ils allaient le faire…

« Ma conviction personnelle, c'est que Francia a peut-être été encouragée mais ne naît pas d'une initiative gouvernementale, que tout part d'un groupe qui ne supportait pas les actions nationalistes, qui avait décidé que la France méritait d'être considérée. Par rapport aux barbouzes d'Alger, c'était de la pantalonnade ! C'était le même principe, mais ils étaient moins bons. Les barbouzes d'Alger étaient recrutées parmi des professionnels, des commandos d'Indochine, des gens qui avaient fait la guerre, qui savaient manier les explosifs, qui n'avaient ni foi ni loi et partaient costauds. Je ne suis même pas sûr que le commandant Bertolini, qui avait gagné ses titres de gloire dans l'armée, ait vraiment voulu assassiner Marcel Lorenzoni… »

Chapitre 11

La République vue par les gangsters / 4 : Marbella et les commandos de la mort anti-Basques

Bernard André, dit Le Baron (il a été l'amant d'une jeune femme magnifique qui était la fille d'un authentique baron du Languedoc), a bien connu l'époque où le milieu français faisait sa loi à Marbella, sur la côte andalouse, au début des années 1980. Voleur, il s'est lancé dans le trafic de stupéfiants sous la protection de l'un des principaux acteurs des GAL, les groupes antiterroristes de libération, qui pourchassaient les militants basques jusque sur le territoire français, avec la bénédiction des autorités espagnoles et l'accord tacite des responsables politiques français de l'époque, mais commençons par le début : monté de Toulouse à Paris à l'âge de 20 ans, le jeune Bernard André doit brusquement quitter la capitale après avoir fait le coup de poing, une bouteille cassée à la main, dans un bar de Saint-Germain-des-Prés contre deux proxénètes qui avaient «charrié une demoiselle», avant de lui demander du feu. Désireux d'échapper à la fois à la police et à leur vindicte, il est monté dans un train pour Aubagne et s'est engagé dans la Légion étrangère «sur un coup de tête».

«Quelque temps plus tard, de retour du Tchad pour Noël, je tombe malade et le médecin me déclare inapte, se souvient notre interlocuteur, désormais retiré de la scène criminelle. Je me saoule la gueule, je monte à Paris, je me procure une arme, je me bagarre beaucoup et je me fais quelques petites banques, c'était pas compliqué à l'époque. Je suis accueilli dans certains endroits gérés par les Corses, je deviens ami avec François Marcantoni [figure du milieu corse], fréquente le Laeticia [bistrot parisien tenu et fréquenté par les voyous corses], jusqu'au jour où je me retrouve en prison, condamné à trois ans pour détention de munitions.»

Une tentative d'évasion, plus tard, aguerri par ses séjours au quartier disciplinaire et fort de ses nouvelles relations dans le milieu corse, il remonte au braquage à peine libéré, part s'installer à Toulouse parce qu'il a

« toutes les brigades sur le dos », cambriole à tour de bras, puis « s'arrache » vers l'Espagne pour une cavale qui durera dix ans…

« Je connaissais déjà ce pays qui était un peu l'Eldorado, raconte le vétéran. Je suis descendu jusqu'à Marbella où j'ai retrouvé un ami dès le lendemain de mon arrivée. Il m'a donné 10 millions d'anciens francs et m'a juste demandé de promettre de ne pas faire de conneries sur place. Je me suis installé à Puerto Banus au milieu de la jet-set et de milliardaires qui avaient tous des Rolex en or au poignet. J'ai vécu de vols, jusqu'au jour où j'ai été confronté à la drogue… »

Nous sommes à la fin des années 1980 lorsqu'on lui propose de transporter du shit vers la France.

« C'était de la drogue, mais j'y ai surtout vu un intérêt financier. » À bord d'une XM V6, puissante Citroën, Bernard André transporte entre trois cents et cinq cents kilos par voyage, payé 1 000 francs le kilo. Sans encombre, à part une ou deux fois où il joue avec la chance, notamment ce jour où il voit des douaniers et fait demi-tour sur l'autoroute. Il roule la nuit, toute la nuit, à 200, 210 kilomètres à l'heure, pionnier de ces *go-fast* qui vont bientôt se généraliser. Quand d'autres, plus jeunes que lui, prennent le relais, il passe à la vitesse supérieure, achète un bateau et se met au transport maritime. Il gagne beaucoup d'argent et a un atout maître dans la poche : cet ami, qu'il appelle « Le Grand », qui bénéficie d'une indéfectible protection du gouvernement espagnol et le mettra à l'abri des ennuis jusqu'à sa mort.

« "Le Grand" habitait Bordeaux et venait de temps en temps à Toulouse, raconte-t-il. C'était un braqueur, mais surtout un protecteur de bars d'ambiance. En cavale, il était parti pour l'Allemagne, puis avait rejoint l'Algérie où il avait rencontré le capitaine Aussaresses [général français connu pour avoir pratiqué la torture pendant la guerre d'Algérie]. Il avait fini par se mettre au service du gouvernement espagnol, qui était en guerre contre l'ETA. C'est l'époque où les GAL se formaient. Il y avait le GAL vert, qui correspondait à la gendarmerie, le bleu, celui de l'armée, le blanc, celui des Renseignements généraux, et le rouge, qui s'occupait de faire disparaître les gens. Mon ami est devenu responsable du GAL rouge en Espagne. Il était évidemment hyperprotégé, y compris quand les GAL ont disparu, son nom n'a d'ailleurs jamais été cité dans les procès. Il a acquis la nationalité espagnole et obtenu le droit de porter une arme. C'est lui qui tranquillisait Marbella. Il ne pouvait rien se passer sans qu'il soit au courant et réglait tous les problèmes, les gros comme les petits. Pas un voyou ne s'aventurait à troubler le secteur, celui qui s'y risquait était invité à partir, ou il disparaissait, tout simplement.

— Comment fonctionnait le GAL rouge ? Quel était exactement son rôle ?

— Le GAL rouge était en guerre contre l'ETA et vice versa. Il était composé de voyous français et d'anciens mercenaires, des anciens du SAC ou de l'OAS qui avaient des problèmes avec la France, des gens capables de faire certaines choses, en l'occurrence d'éliminer des militants qui avaient des valeurs et qui étaient braves. Ils bénéficiaient d'une couverture en Espagne, mais aussi en France, avec ce juge qui libérait tous les "galeux" qui lui étaient présentés, le "juge dehors" on l'appelait : il relâchait dans l'heure le "galeux", même s'il était armé, même s'il avait un sac de munitions. "Le Grand" était aussi en relation avec des élus français qui soutenaient les GAL et avec des commissaires de police français facilitaient leurs déplacements. Tout se passait au Pays basque, surtout côté français. »

C'est à cette époque que le trafic de cannabis marocain prend une ampleur industrielle, avec des voyous français à la manœuvre et l'Andalousie comme base logistique, en toute impunité ou presque. Comme s'ils avaient quartier libre pour commercialiser la drogue en échange des services qu'ils rendent au pays sur le front basque… Les camions de shit partent en direction de la France au vu et au su de la Guardia civil, dont l'ami a de gros intérêts dans ce business. « "Le Grand" n'avait pas complètement carte blanche, mais disons qu'il faisait un peu ce qu'il voulait quand les autres avaient le dos tourné, se souvient Bernard André. Au point de départ du shit, au Maroc, les trafiquants payaient les militaires pour que le bateau puisse accoster sur la plage, à l'heure dite. Les militaires fumaient leur cigarette dans un coin pendant qu'on chargeait et quand on déchargeait en Espagne, c'était la même chose. Cela a beaucoup changé depuis parce qu'il y a eu des excès, trop c'est trop, mais, à l'époque, c'était comme ça. "Le Grand" était riche. Il possédait une centaine d'appartements, une belle propriété et n'avait aucun souci d'argent. Parfois, le secrétaire d'État chargé des affaires intérieures venait le voir en personne, c'était un homme considéré, grâce à qui Marbella était tout sourire… »

Un jour qu'il vient de réaliser une grosse affaire, Bernard André est interpellé par la police d'Estepona (Andalousie), probablement balancé par quelqu'un. Conduit au commissariat, il se voit confisquer sa Rolex Président, sa chaîne en or et toutes ses espèces. À un moment, on le fait monter au premier étage où un inspecteur divisionnaire qui l'a loupé plusieurs fois, parce qu'il avait été prévenu de son arrivée, lui lance : « *Hola Baron, ¿qué tal?* On sait qui tu es. Tu sais, le

Dalí que tu as volé, j'aimerais bien le retrouver.» Il fait celui qui ne comprend pas et finit par demander à voir le commissaire, qu'il a connu par l'intermédiaire de son ami. La suite en dit long sur l'ambiance qui règne à l'époque : on le redescend dans la geôle jusqu'à l'arrivée du commissaire qui le reçoit dans son bureau, un peu surpris. Alors que la conversation roule sur le Dalí, Bernard André sort les grands mots : «Monsieur le commissaire, je suis embêté, parce que s'il faut que je parle, je vais mettre en cause mon ami de vingt ans, ce que je ne souhaite pas.» Le patron le regarde en fronçant les sourcils. «Très bien, très bien», lâche-t-il, et lorsqu'il le fait revenir une heure plus tard dans son bureau, le fameux ami est présent.

Le commissaire lui donne la parole. «Je ne dirai rien, mais il faut me sortir de là», dit-il. Après, tout va très vite. On le ramène à la porte du commissariat et on lui rend Rolex, chaîne en or et argent. «Ils ont juste gardé mes papiers, qui étaient faux, se souvient-il, et ma voiture, une Mercedes 600 elle aussi sous un faux nom, bon, cadeau – j'avais aussi un roadster et une Ferrari. J'étais recherché par Interpol et toutes les polices d'Europe, mais je suis ressorti libre, avant d'écoper quelque temps plus tard d'une amende pour usage et détention de faux papiers.»

Voilà comment cela se passait en Andalousie à l'époque pour les voyous français qui œuvraient sous cape pour le compte de Madrid. Les polices française, anglaise et hollandaise n'avaient pas encore installé leurs antennes à Fuengirola. La police locale était hors course. Les juges n'étaient pas des plus compétents, les gangsters avaient de très bons faux papiers et payaient les douaniers pour qu'ils ferment les yeux. Il y avait peu de braquages dans le secteur et tout se passait pour le mieux. Quand ça coinçait, on décoinçait, comme ce jour où Bernard André voit sa maison de Séville encerclée et les flics l'embarquer pour Madrid avec un mandat d'Interpol en main. « Mon ami a pris les deux meilleurs avocats de Madrid et j'ai été libéré au bout d'un mois et demi, raconte notre témoin. Quelque temps plus tard ils ont essayé de me coincer à un carrefour en me faisant le coup de l'accident : ils ont tapé l'avant de mon véhicule avec une Twingo en espérant casser l'essieu. Je mets la marche arrière et je vois un gars qui sort un calibre et me dit de m'arrêter ; j'ai foncé sur leur voiture et je me suis arraché dans Málaga. »

Un autre jour, il est arrêté à l'entrée du port de Puerto Banus. Le flic prend ses papiers, puis lui demande les prénoms de son père et de sa mère. « *Mi padre se llama Pablo y mi madre Francine* », répond-il, ce qui est évidemment faux. « *Todo bien* », font-ils avant de le laisser repartir. Il évoque l'incident avec son ami qui lui obtient de vrais faux papiers belges : Bernard André est le fils du Premier ministre belge de l'époque.

Il a rapidement l'occasion de tester ce sauf-conduit du côté de Ceuta, enclave espagnole au Maroc, auprès de la Guardia civil. Ils lui font ouvrir son attaché-case où ils tombent sur cinq passeports belges vierges. « Je suis désolé, dit-il, j'ai oublié de laisser ces passeports à mon bureau, je suis le consul de Belgique à Málaga. Vous pouvez les prendre, mais faites-moi un reçu. » Le policier va voir son collègue et revient en disant : *« Vale señor consul. »* Il lui a rendu les passeports avant de bloquer les autres véhicules pour qu'il puisse rejoindre tranquillement la circulation.

La donne finit tout de même par changer à Marbella après la mort du « Grand », début 2000, d'une embolie pulmonaire en jouant au tennis chez lui avec sa fille. Un hélicoptère vole à son secours, mais on ne le réanime pas. « Sa disparition a provoqué un grand boum sur toute la Costa del Sol, se souvient Bernard André. Après son enterrement à San Pedro de Alcántara, on a vu arriver des gens de partout, notamment des équipes parisiennes qui ont commencé à faire n'importe quoi. Un saccage ! Les acheteurs de cannabis se faisaient voler, escroquer, d'autres se faisaient tuer… "Le Grand" tenait bien la région. Il protégeait pratiquement tous les bars, les bars à filles, les restaurants. Un problème surgissait, il le réglait, soit gentiment, soit autrement, généralement bien parce qu'on savait que s'il se déplaçait, il ne venait jamais seul. Il était craint car c'était quand même un tueur, quelqu'un qui ne faisait pas de cadeaux. Ce n'était pas non plus n'importe qui, je l'ai vu se promener sur le port de Puerto Banus avec Le Belge et quelques autres des grands voyous français de l'époque. Lui disparu, les jeunes se sont entretués, et comme j'en avais terminé avec mes dix ans de cavale, cela m'a fait deux bonnes raisons de rentrer en France. Cela a été la fin.»

La fin pour cette génération, celle du «Grand», qui chargeait tous les mois une tonne de shit dans un camion «protégé». Le début pour cette «horde de jeunes trafiquants qui se sont mis à charger des Porsche 4 × 4 et je ne sais quoi d'autre alors que je suis toujours resté le plus discret possible, rasé, bien habillé». En même temps, ces jeunes «commerciaux» du shit ont commencé à passer directement commande auprès des Marocains et à casser les prix, faisant jouer la loi du marché…

«Je pense que ça devrait être légalisé, c'est la seule solution pour que tous ces petits mafieux cessent de se tirer dessus à la kalach pour mille euros, une parole ou pour rien, tranche Bernard André, d'accord sur ce point avec plusieurs de nos interlocuteurs. L'État renflouerait ses caisses et tout rentrerait dans l'ordre…»

Une proposition qu'il n'aurait sans doute jamais formulée quand il était aux manettes, lui qui était plus whisky et champagne que cannabis : il en a brassé des tonnes sans jamais fumer un joint.

Le désordre, oui, mais avec un certain ordre tout de même.

Chapitre 12

La République vue par les gangsters / 5 : Les « pognonistes » de la banlieue Sud

Au fil des années 1970, les limiers du Quai des Orfèvres ont décidé de faire de Michel Lepage, dit « Le Gros », l'un de leurs meilleurs ennemis. Ils le considéraient comme l'élément le plus remuant et le plus déterminé de ce qu'ils appelaient le « gang de la banlieue Sud ». À la charnière entre les voyous qui se baladaient avec la carte du SAC et les caïds d'aujourd'hui, il n'a jamais voulu rouler pour quiconque en dehors de sa bande, de son clan, de sa famille. Écoutons-le, sa parole mérite largement le détour…

« J'ai vécu ma jeunesse à Ivry dans un quartier pavillonnaire, au bout de ma rue il y avait un champ où on jouait au foot et des jardins d'ouvriers, nous raconte-t-il après avoir renoncé à toute activité criminelle, même si parfois juges et policiers le rattrapent par la manche lorsqu'il croise un ancien collègue et ami. On se donnait rendez-vous là pour tout. C'était la banlieue rouge, le maire était communiste, il était comme un père pour nous, il se faisait engueuler par sa femme parce qu'il jouait au foot avec nous. On vivait bien, heureux, tranquilles, puis est arrivé le modernisme et ils ont tout rasé. Ils ont mis des immeubles partout, une quinzaine en tout, on a été dispersés, on a perdu des copains, des amis, on n'avait plus le droit de rentrer dans notre territoire. On était à la rue.

« Les voyous, on les rencontrait dans les cafés. Ils portaient des costards, nous on arrivait avec les pattes d'eph et nos cheveux longs. Ils nous regardaient comme on regarde ses petits frères. On évitait les proxos, on allait surtout vers les voleurs. Ils étaient bien habillés, ils avaient de belles voitures et de belles gonzesses. C'était nos modèles. Il y avait une forme de transmission, alors que maintenant les jeunes connaissent tout avant nous...

« Un jour, j'ai eu besoin de disques. Un pote m'a dit : "Viens, on va les voler." Je ne sais plus lequel a poussé l'autre, mais on y est allés. Après, c'est l'enchaînement, quand on a vu qu'on pouvait vendre ces marchandises. Puis on s'est attaqués aux coffres-forts, en attendant les banques. C'est l'argent qui te motive. Tu as envie d'une nouvelle voiture, tu l'achètes. Il y a des gens, il leur fallait six, huit mois pour acheter une mobylette, nous on l'achetait dans la journée. Il n'y a rien d'autre. L'adrénaline, tu la laisses aux romanciers ou aux flics.

« Jusqu'à 20 ans, je m'appelais Michel, ce sont les policiers qui m'ont appelé "Le Gros", parce que j'avais pris du poids. J'avais connu une police assez paternelle au quartier. Le commissaire passait dans la rue en voiture et te faisait monter en t'expliquant qu'il avait besoin de t'entendre ; aujourd'hui cette même police ne veut plus rentrer dans les quartiers. Ils ne venaient pas faire sauter ta porte à quarante, ils sonnaient, c'était plus humain...

« J'ai été élevé au communisme et les mecs du SAC, en général, c'était des mecs de droite à qui on ne parlait pas. Les voyous c'était autre chose. Ils nous montraient leur carte et nous disaient qu'ils l'avaient pour pouvoir se balader avec le calibre. Tu te faisais arrêter, tu montrais ta carte et "bon allez vas-y circule". La politique, ils ne savaient même pas ce que c'était. Tout ce qui les intéressait, c'était de toucher des sous quand ils faisaient le service d'ordre ou foutaient le bordel dans un meeting.

« C'est la façon de se tenir face à la police qui fait le bon voyou. C'est sa mentalité, parce que aller voler, ce n'est pas un exploit. Si tu te fais attraper, il ne faut pas balancer tes potes. Il faut bien se tenir, c'est-à-dire ne pas parler à la police. Les mecs qui pactisent avec la police et balancent, pour nous, ce sont des sales mecs. Aujourd'hui, avec les nouvelles lois, beaucoup balancent. On leur dit : c'est quinze piges ou trois ans si tu balances. Il n'y en a pas beaucoup qui résistent.

« J'allais faire mon "métier" et je revenais avec mon argent. Pour le reste, j'insiste, une seule règle : comme le journaliste ne donne pas ses sources, comme le policier ne donne pas ses indics, nous on ne donnait pas nos amis. C'est aussi simple que ça. C'était en nous, on l'avait appris des grands. Ce n'est pas toujours facile quand tu te fais serrer. Tu allais braquer, tu sortais de la banque, tu étais content, mais quand on passait devant les murs de la Santé, on se disait qu'un jour on allait se retrouver de l'autre côté…

« Pour ma part, j'ai fait à peu près vingt-quatre ans de prison. J'ai fait des conneries, je les ai payées. Peut-être au prix fort, parce que je me suis évadé, mais je les ai payées… J'ai défendu ma liberté. Même si on est cuit, on se bat jusqu'au bout, il y a toujours quelque chose à sauver… Partager mon butin avec la police, jamais, même pour avoir un renseignement. Les seules relations qu'on avait avec eux, c'est quand on n'avait pas couru assez vite et qu'on se retrouvait dans leur bureau. Une fois, des policiers m'ont pris quarante bâtons, mais j'ai fermé ma gueule. Une autre fois, j'en ai vu avec mon blouson sur le dos. Tout le monde a faim, tout le monde mange, c'est pas nouveau !

« On savait depuis les années 1960 que la came rapportait beaucoup, beaucoup d'argent, mais nous, on était des voleurs, la came on s'en foutait... Et puis le temps évoluant, un jour que je venais de sortir de prison, on m'a dit : "T'as de l'argent?", et j'ai investi. Après, il y a eu l'ADN qui a compliqué les choses pour les braquos. Tu montes dans une voiture, tu laisses ton ADN, du coup les gens se sont tournés vers la came. Pourquoi aller braquer un fourgon pour prendre un million d'euros, alors que si tu descends avec ta voiture et que tu remontes ton shit tout seul, tu te fais une belle somme? Pourquoi risquer de prendre quarante piges de ballon, alors qu'en prenant ta voiture tu en risques dix? C'est mathématique.

« Les anciens revendaient le chichon [shit] aux jeunes à un certain prix, jusqu'au jour où ils ont vu qu'ils pouvaient aller le chercher eux-mêmes, en voiture, avec les *go-fast*. Les kilomètres, ils se les avalaient bien. Ils mettaient une journée ou deux pour faire l'aller-retour jusqu'en Espagne et ça leur coûtait trois fois moins cher. C'était uniquement une question d'argent. Une fois qu'ils ont eu les contacts, ils n'ont plus eu besoin de personne. C'est ça le commerce. Les mômes ont tout compris...

« J'ai essayé d'en dissuader mon fils, mais il a suivi ma voie. Il a roulé jusqu'au bout du truc et il a perdu la vie, mais quand tu es derrière les barreaux, ton fils fait ce qu'il veut. Il dit "oui, papa", mais ta lettre, il la jette. C'est le choix de chacun. Je suis né dans une famille d'ouvriers, mais je suis le seul qui a eu affaire avec la police... »

On ne résiste pas à la question : finalement, Michel Lepage, les lois de la République, vous les ignoriez?

«Les lois de la République, je ne m'en suis jamais occupé, admet l'ex-gangster. J'étais hors société. Ce sont eux qui me jugent, eux qui ont les rênes. Les lois sont faites pour ceux qui nous dirigent, pas pour ceux qu'ils administrent. Ils nous mettent dans le même sac, nous et les ouvriers...

— En tant que hors-la-loi, auriez-vous vendu des services à l'État français, si on vous l'avait demandé?

— En prison, en Espagne, on est venu me voir parce que je fréquentais beaucoup les gens de l'ETA. J'étais en promenade lorsque l'on m'a appelé pour rencontrer des représentants des services espagnols et français. Je me suis retrouvé face à trois personnes, une femme, un barbu et un autre mec qui m'ont demandé si j'étais prêt à collaborer contre les Basques. Comme je ne pensais qu'à m'évader, j'ai imaginé qu'ils allaient peut-être me mettre dehors si j'acceptais, mais ils ont vu que je les emmenais en belle et que je me serais arraché aussitôt remis dehors. L'Espagnol m'a traité de "fils de pute", il s'est levé et il est parti. Je suis resté avec les Français qui m'ont amené sur le terrain de la came. Ils m'ont demandé si je connaissais des dépôts, j'ai dit : "Oui, mais il faut d'abord me mettre dehors." Ça s'est arrêté là.»

Chapitre 13

La République, otage de la drogue / 1 : Les quartiers Nord de Marseille

Après le proxénétisme et le jeu, la drogue est donc devenue la principale source de profit du grand banditisme. L'ex-commissaire Lucien Aimé-Blanc, ancien chef de l'Office central de répression du banditisme, qui a l'avantage d'avoir connu la French Connection à son zénith, évoque l'an zéro de cette transformation majeure :

« Le trafic d'héroïne a commencé avant la guerre et s'est développé après. Dans les années 1960, on ne remarquait pas de consommation locale sur le marché français, ni aucun problème de santé publique. Cette drogue était destinée au marché américain.

Cela ne faisait pas de bruit chez nous. Les journalistes n'étaient pas au courant, c'était de "pieux fonctionnaires", les journalistes de l'époque ! Ce n'était pas non plus une matière noble pour les policiers – ce qui était noble, c'était de "faire" des braqueurs, d'arrêter des gens en flag, d'élucider des assassinats. À Marseille, où j'étais en poste, mon patron, le commissaire Mathieu, détestait la brigade des stups. Le bruit courait que les gaullistes et le général de Gaulle lui-même considéraient que "si on empoisonne les Américains, ça nous dérange pas". La brigade des stups ne disposait donc d'aucun moyen, même si les flics étaient bien renseignés et pénétraient partout. La justice était elle aussi inexistante sur ce front : les trafiquants prenaient des peines de cinq ans, et comme c'était des vieux de la vieille ils ne mettaient pas le bordel en prison et ressortaient au bout de trois ans. »

Le tournant se situe vers le milieu des années 1970, quand les autorités américaines ont tapé du poing sur la table. Informées par leurs agents implantés à Rome, au Liban, à Marseille et à Paris, elles ont réclamé que la police française tarisse la source. « Peut-être pour faire un coup de pub à Nixon, sûrement aussi pour faire oublier le désastre du Vietnam, ils se sont mis sur le trafic d'héroïne et c'est comme ça qu'ils ont enflammé le système, en partie pour des raisons électoralistes, assure Lucien Aimé-Blanc. Ils sont partis en guerre contre l'héroïne, ce qui n'a rien changé d'ailleurs, à part que les trafiquants ont mis au point de nouveaux circuits… »

Les voyous français, qui étaient habitués à un train de vie relativement facile puisque personne ne les traquait réellement, ont été décapités en quatre à cinq ans. Et la France, ironise le commissaire, « a perdu ce gros marché »…

Trente ans plus tard, au début des années 2000, dans cette même ville de Marseille, le trafic a explosé dans les cités, mais la police judiciaire laisse encore cette matière à la sécurité publique, se concentrant sur les dossiers de stupéfiants à caractère international, encore aux mains, mais plus pour longtemps, de ces voyous qu'elle connaît par cœur. Le marché est en train de changer de mains, mais l'ancien patron du service régional de police judiciaire de Marseille, Roland Guilpain, le reconnaît avec le recul : « Nous n'avons pas senti venir cette évolution considérable qu'a été l'émergence de figures du trafic dans les quartiers. »

L'assassinat d'un certain Farid Berrahma, évoquée plus haut dans ces pages par le hors-la-loi Tony Cossu, constitue « une étape majeure » dans la vie du banditisme marseillais, comme le raconte le commissaire Roland Guilpain :

« Farid Berrahma avait été impliqué dans les dossiers “Topaze” et “Océan”, deux grosses affaires de stupéfiants traitées par la PJ de Marseille au début des années 2000. Quand il est sorti de prison, il a décidé de prendre en main les machines à sous et le trafic de stups autour de l’étang de Berre. Berrahma est originaire de Salon-de-Provence, il vit à Vitrolles, il connaît très bien le secteur de l’étang de Berre et veut tout prendre, mais il y a un obstacle, c’est que les Corses ont la main sur les machines à sous. Pour les récupérer, l’ambitieux s’adresse à du menu fretin, notamment à Roch Colombani, qui refuse de céder à cette pression, alors ce qui devait arriver arrive : Roch Colombani est abattu à Vitrolles en mars 2006. Là commencent les ennuis pour Berrahma, parce que les Corses n’ont pas du tout apprécié cette exécution particulièrement barbare. On peut même dire qu’il a signé ce jour-là son arrêt de mort, laquelle se produit peu de temps après, au mois d’avril. À partir de ce moment-là, on assiste à une évolution notable dans les cités. On a l’impression que la mort de Berrahma a libéré le trafic de stups, comme s’il avait exercé une forme d’autorité sur ces quartiers. Elle a libéré les équipes et enclenché une série de règlements de comptes qui se poursuit encore aujourd’hui… »

On pourrait imaginer que cette exécution spectaculaire a été un signal fort donné par le milieu traditionnel à la nouvelle génération, une façon de poser des limites aux jeunes pousses, mais Roland Guilpain est convaincu que la disparition de ce voyou autoritaire a au contraire libéré les ambitions. « Les Corses ne souhaitaient pas mettre la main sur tout le trafic de stups, dit-il. Ils se sont juste débarrassés d'un concurrent gênant sans penser aux suites, que personne n'envisageait d'ailleurs à l'époque. Nous aurions pu anticiper un développement défavorable, deviner l'avenir, mais nous ne l'avons pas fait. Nous ne sommes pas les seuls. Jusqu'aux émeutes de 2005 [en région parisienne], le monde politique, qu'il soit de droite ou de gauche, ne s'est pas préoccupé des cités en tant que source de délinquance, de criminalité. Le fait que les quartiers Nord de Marseille soient restés calmes aurait dû nous alerter. On a compris plus tard que les personnes dirigeantes en matière de banditisme dans les cités n'avaient pas du tout intérêt à nous voir nous mêler de leurs affaires, souhaitant continuer à travailler dans une certaine clandestinité. Moins ils voyaient les forces de police intervenir, mieux ça valait pour eux ! Ils ont d'ailleurs obtenu ce qu'ils souhaitaient, puisque, après les émeutes, on nous a demandé d'être particulièrement vigilants durant nos interventions dans les cités, pour éviter les incidents… »

Qu'aurait-il fallu faire, du point de vue policier, pour éviter le développement exponentiel du trafic dans les quartiers ?

« Il n'y a pas une cité à Marseille, mais quarante-deux, explique Roland Guilpain. Quarante-deux cités sensibles, c'est énorme. Y a-t-il un trafic de stups dans chaque cité ? Je crains que oui. C'est très compliqué d'éradiquer ce genre de choses, vous vous attaquez à la première cité, vous allez à tel endroit et ça continue dans l'autre, et ainsi de suite. Il est cependant certain que plus les années passent et plus il est difficile d'entrer dans ces quartiers. J'ai fait mon stage à la préfecture de police [de Paris] en 1972, et quand on partait faire des perquisitions à La Courneuve [Seine-Saint-Denis], on recevait déjà des frigos tombés du balcon sur le nez…

— La police se retrouve aujourd'hui confrontée à des structures qui rivalisent avec le puissant crime organisé traditionnel. Quelles sont les différences entre les anciens voyous et cette nouvelle génération ?

— D'un côté, on a des gens organisés, déterminés. De l'autre, des gens qui vivent momentanément des fruits de leurs trafics, je dis momentanément puisque les victimes des règlements de comptes ont entre 20 et 35 ans. Ils en profitent le temps de leurs méfaits, alors que les caïds, corses ou assimilés ont 50, 60 ans, du moins ceux qui ont la chance de ne pas s'être fait flinguer avant, souvent parce qu'ils ont été écroués pendant de longues années. La durée de vie n'est pas la même pour tous ! La délinquance de cité est aussi plus locale, ce que souligne le fait que la police judiciaire, sans diminuer ses mérites, a d'excellents résultats en matière de résolution des règlements de comptes. On parle [à la police] dans les cités, ce que ne font pas les équipes structurées.

— Le banditisme des cités a-t-il pour vocation d'effacer le banditisme traditionnel ?

— Le banditisme traditionnel profite de la criminalité des cités pour qu'on ne parle pas de lui. Pour eux, moins on s'intéressera au racket dans les boîtes de nuit, mieux ça vaudra. Apparemment, il n'y a jamais autant eu de racket, mais on n'en parle jamais. Et ce ne sont pas les voyous des cités qui sont derrière. Ceux-là ne s'amuseront pas à le faire. Ils le feront une fois, pas deux… »

***

Dur réveil : aux compromissions d'autrefois entre milieu, police et classe politique ont succédé des accointances d'un nouveau genre, plus discrètes, entre trafiquants et élus locaux, par l'éclosion de territoires plus en moins en rupture avec la République. L'une des meilleures connaisseuses du sujet s'appelle Samia Ghali. Élue socialiste, maire dans les quartiers Nord de Marseille, elle connaît bien les quartiers oubliés pour y être née et y avoir grandi, en l'occurrence dans un bidonville de Bassens, à une époque où les habitants avaient à peine l'eau froide et l'électricité.

« On vivait dans un cube où la cuisine faisait office de salle de bains, sans aucune porte, qu'on appelait le loft, se souvient-elle. On était coincés entre la voie rapide et le chemin de fer, qu'il fallait traverser pour aller dans cet endroit qu'on appelait "le pré de Marius". On savait que c'était dangereux, mais quand on a 7 ou 8 ans, on n'est pas conscient du danger. Onze enfants ont été happés par le train avant qu'un mur de protection soit construit. Ces quartiers étaient laissés à l'abandon, c'est pour ça que je ne vais jamais sur la tombe de Gaston Defferre, qui a été un grand homme de la Résistance, mais pas un bon maire… »

Socialiste, mais pas fan de Defferre, Samia Ghali a découvert le « luxe » en allant vivre avec sa mère à Campagne-Lévêque, une cité où il y avait l'eau chaude, à deux cents mètres de Bassens à vol d'oiseau.

« Cela a été un choc, pas seulement parce qu'il y avait des baignoires, se souvient-elle. Il y avait des Arabes et des Gitans, des Italiens, des Espagnols, des Portugais, une vraie mixité sociale. » Comme bien des filles dans ces familles maghrébines, elle sert de traductrice à son grand-père, qui ne parlait pas un mot de français et qui jamais n'aurait pu imaginer sa petite-fille devenir maire du secteur et représenter la République, lui qui répétait qu'il fallait « se faire tout petit en France »...

« J'aurais pu basculer de l'autre côté, suivre ceux qui séchaient l'école pour aller ouvrir les remorques des camions garés dans la cité et récupérer de la marchandise parce qu'on manquait de tout, dit Samia Ghali. J'aurais pu entrer dans le trafic de drogue, mais j'ai tenu bon. Je ne me suis pas droguée, tellement j'ai vu les dégâts que ça causait autour de moi. 99 % des garçons et près de 60 % des filles touchaient à la drogue, d'ailleurs la moitié de mes amies sont mortes d'overdose et les autres ont le sida. »

Le mari de sa prof de français était secrétaire de section du Parti socialiste, c'est ainsi que la jeune femme assiste à sa première réunion. Elle prend sa carte avec une idée en tête : « En défendant le quartier, je défends tous les quartiers ! » Les communistes sont encore majoritaires dans la zone, mais les tendances s'inverseront bientôt.

Voilà pour les présentations, pas inutiles pour comprendre la suite des propos de Samia Ghali, dont ceux qui ont suivi ses fréquentes interventions télévisées connaissent l'énergie.

« Ces quartiers ont été volontairement abandonnés dans les années 1980, poursuit-elle. Je l'ai vécu de l'intérieur, de mes propres yeux et de mes propres oreilles, ce qui explique que je sois à fleur de peau. J'ai vu ces quartiers se dégrader, mais aussi ses habitants, avec la précarité, la drogue, la violence, l'indifférence. Au départ ce sont les bourgeois qui venaient vendre de la drogue [de l'héroïne] dans les quartiers Nord, où vivaient les consommateurs. Beaucoup ont goûté et plongé dans cet univers inconnu qui procurait des moments de plaisir. Les bourgeois ont bientôt eu besoin de relais dans les quartiers, ils ont commencé à laisser de la drogue et leurs clients sont devenus leurs employés…

« Les policiers, on les connaissait bien à l'époque, on les appelait même par leur prénom, mais quand les gens ont commencé à se plaindre du trafic, ils ont fait la sourde oreille en disant qu'ils auraient été au courant si tel avait été le cas. Aujourd'hui, la police est tellement absente qu'elle ne peut rien voir, mais, à l'époque, elle patrouillait et les gens n'ont pas compris ce refus de savoir. L'héroïne s'est répandue à vitesse grand V, de façon foudroyante. J'ai vu des gens qui avaient eu le bac avec mention, des sportifs, des travailleurs qui avaient tout pour réussir prendre de la drogue. J'ai vu leur vie sociale détruite, puis leur vie tout court, et leur famille avec. J'ai vu des mamans dire à la police : “Prenez mon enfant, c'est un trafiquant”, parce qu'elles ne savaient plus comment faire. Le matin, vous vous leviez et vous aviez au pied de l'immeuble des jeunes qui venaient de se faire une overdose. Les pompiers venaient au minimum deux fois par jour dans la cité… Aujourd'hui, on se retrouve dans une organisation mafieuse complète, avec d'autres choses derrière : les armes, la prostitution.

— Cette organisation mafieuse ne fait-elle pas régner une forme d'"ordre" qui arrange bien les politiques, soucieux d'éviter les révoltes bruyantes ?

— On est passé par plusieurs phases, jusqu'au jour où j'ai découvert que les habitants ne pouvaient plus emprunter les escaliers des immeubles parce que les dealers mettaient des caddies pour bloquer le passage. J'ai reçu une lettre d'une mamie de 85 ans qui n'avait pas le droit de sortir de chez elle et qui était perdue. J'ai vu des gens à qui on disait que ce n'était pas l'heure de rentrer avec des courses chez eux. On décidait de la vie des gens à un niveau insupportable, avec des bailleurs qui réparaient dans la journée des portes cassées par la police le matin, alors que dans le bâtiment voisin, où il n'y avait pas de dealer, l'ascenseur restait en panne. Tout le monde était pris en otage… Certains parlent d'une forme de paix sociale, mais c'est une drôle de paix : les habitants sont sur les nerfs, et ceux qui osent des remontrances se font agresser. Une maman qui habitait au rez-de-chaussée et qui a demandé aux dealers de ne plus fumer sous sa fenêtre et de ne pas crier s'est entendu dire que si elle n'était pas contente, c'était à elle de partir… Ils établissent leurs règles, leurs lois, ce qui est une forme de terrorisme, puisqu'ils transforment leur quartier en prison à ciel ouvert.

— Le jour où vous avez décidé de réclamer une intervention de l'armée dans les quartiers, était-ce une façon de pointer l'inefficacité de la police ?

— Cela serait irresponsable de ma part de faire comme si je n'avais pas entendu tout ce que les habitants viennent me raconter dans ce bureau de maire [où elle nous reçoit]. Il faudrait que je sois complètement inhumaine pour en faire abstraction. Quant aux policiers, les jeunes avec qui je m'engueulais me disaient : "Ce sont des gens comme nous, ce sont nos employés." Je me disais au début qu'ils disaient cela pour me provoquer, me narguer, puis j'ai fini par accepter qu'il y avait aussi des gens vulnérables dans la police, malheureusement, et pas seulement parce qu'ils sont en nombre insuffisant. Je l'ai d'ailleurs dit à Manuel Valls, deux à trois jours avant qu'il ne soit nommé ministre de l'Intérieur, en 2012. Je lui ai dit : "Manuel, je te souhaite bon courage, mais si tu veux t'occuper de la délinquance, il faut d'abord que tu t'occupes de la police."

« Dans les mois qui ont suivi, la situation s'est envenimée, avec des meurtres en veux-tu en voilà. On appelle ça des "règlements de comptes", comme si on considérait que l'on peut se tuer entre nous, que nos vies ne valent rien, pas besoin de chercher le pourquoi du comment. Le maire de Marseille lui-même le laissait entendre : tant que ca se passe entre eux, on s'en fout, ça fera toujours ça de moins. C'est une conception dangereuse qui est revenue en boomerang, avec toujours plus de meurtres, un terme plus approprié à mon sens…

« Un jour du mois d'avril 2012, à l'heure du déjeuner, j'arrive à proximité du lycée Nord, en face de la cité où j'ai grandi, et je vois un jeune étalé par terre, criblé de balles, le visage éclaté. C'était juste avant l'heure de la rentrée et de nombreux lycéens avaient assisté à la scène. J'ai vu des jeunes pleurer et me dire : “Samia, on a peur, fais quelque chose pour nous.” C'est une chose de le voir à la télé, avec un drap blanc, c'en est une autre de tomber dessus dans la rue. J'étais assez choquée. Je me suis dit : je n'ai pas décidé d'être maire de secteur pour compter les morts. Je ne suis pas un croque-mort. En plus, ce sont souvent des gens que je connais, les enfants de mamans ou de papas avec qui j'ai grandi, des parents qui se sont battus pour leurs enfants, mais qui ne maîtrisent pas la force de la rue…

« Cela a continué tout l'été, jusqu'à ce qu'un journaliste du *Parisien* me demande, à froid, comment on pourrait sortir de là. J'ai dit qu'il fallait demander à l'armée de venir en aide à la police, qui n'était pas assez nombreuse pour répondre à l'ampleur du problème. Des armes de guerre, il y en avait partout. Les jeunes s'achetaient une kalachnikov comme on s'achète une paire de baskets. J'ai considéré que seule l'armée serait à même de désarmer les cités. Elle pourrait aussi contrôler les consommateurs, qui à mon sens sont aussi responsables que le petit jeune qui va faire le *chouf* [le guet] en bas de l'immeuble… On fait beaucoup de spots publicitaires sur les accidents de la route, à juste titre, il faudrait aussi expliquer à quoi participe celui qui va acheter son shit dans une cité : il participe à une ambiance, à un mal-être, à l'échec scolaire…

— Parfois, des politiques ont fait affaire avec des voyous, notamment à Marseille. Qu'en pensez-vous ?

— Je sais que l'histoire de Marseille, c'est un peu ça, mais les politiques qui sont fascinés par ce monde sont souvent des gens qui ne l'ont pas connu. Quand on est né dans une cité, on connaît trop les barrières à ne pas franchir, on est méfiant. Moi j'ai plutôt tenté de m'en éloigner, je recherchais la pureté, les caïds étaient même pour moi un repoussoir.

— Classez-vous Sylvie Andrieux, une élue socialiste des quartiers Nord qui a été mise en cause pour avoir développé une forme de clientélisme à base de subventions, parmi les novices ?

— Sylvie Andrieux ne connaissait pas ces quartiers, ni leur histoire, ni leur population, ni les codes, ni les vices. Dans ces conditions, il est possible qu'elle se soit fait berner parce qu'elle venait d'une famille bourgeoise qui l'avait protégée. Ce n'est pas pour la dédouaner, mais je pense que les voyous l'ont utilisée. Ils l'ont charmée en lui faisant croire qu'ils allaient pouvoir l'aider politiquement. Elle a été la victime d'un territoire qu'elle ne connaissait pas, et sa naïveté lui a coûté cher[1].

— Comment faire, quand on se présente dans ces quartiers, pour ne pas se retrouver avec des personnes au casier judiciaire noirci sur sa liste électorale ?

— Je n'ai personnellement recruté que des gens qui ont une histoire et un vrai parcours militant, qui aiment la politique et ont envie d'en faire. C'est une preuve de faiblesse pour un élu que d'aller chercher cette voyoucratie pour la mettre à des postes de responsabilité.

— Peut-on faire de la politique dans les quartiers sans traiter avec les caïds du coin ?

— Ce ne sont pas les caïds qui viennent vous chercher, c'est vous qui allez les chercher, mais dès lors

1. Ces propos n'engagent que leur auteur dans la mesure où Sylvie Andrieux est toujours présumée innocente pour avoir formé un pourvoi contre l'arrêt rendu à son encontre par la cour d'appel d'Aix-en-Provence.

qu'on met le doigt dans l'engrenage, ils savent s'y prendre avec les plus fragiles. Quand vous faites votre travail d'élu, quand vous êtes sur le terrain, quand vous vous remontez les manches, vous n'avez pas besoin de ces gens-là et il faut le leur montrer. Ma liberté, c'est ma force. C'est aussi pour ça qu'ils vous respectent, parce que, entre eux et moi, il y a une barrière. Ce ne sont pas mes copains, je ne suis pas leur copine, même si je peux les connaître. Je suis là pour défendre la République et c'est la seule chose qui m'anime.

— Faites-vous parfois l'objet de pressions à cause du discours que vous tenez ?

— Jamais, car au fond d'eux ils sont conscients que je dis la vérité. Ils savent que c'est la mort au final et que derrière, c'est leur mère qui pleure. Ils n'en sont pas moins sûrs d'eux, parfaitement conscients qu'ils sont le premier employeur des jeunes et qu'ils ont pris le dessus sur la société. Ils ont tout anticipé, à tel point qu'on ne sait pas par quel bout les prendre. Ils n'ont même plus la notion du bien et du mal. »

***

Cette histoire de terrain de football, pour microscopique qu'elle soit, est un cas d'école. Celui qui nous la raconte par le menu s'appelle Aomar Sadoudi, un responsable associatif que nous avons retrouvé au cœur de ce quartier de la Maurelette qu'il aime et dont il écoute battre le cœur depuis tant d'années. C'est lui qui a porté à bout de bras ce projet d'implantation d'installations sportives à destination des jeunes, une course d'obstacles qui mérite le détour. Quelles explications lui a-t-on fournies pour justifier ces lenteurs? Pourquoi ne rentrait-il pas dans le créneau des associations pouvant bénéficier du financement public?

« Le stade était dans un état déplorable, il fallait donc faire quelque chose, raconte-t-il alors qu'un fort mistral balaye les quartiers Nord. Pour avancer, il a fallu beaucoup travailler, en impliquant les jeunes car c'est notre façon de fonctionner. Passé les problèmes administratifs, on s'est tourné vers les financeurs en pensant que ç'allait être une formalité, vu le nombre de city-stades qui se créaient à droite, à gauche, qu'il fallait juste bien présenter le projet. Mais on s'est heurté à des refus, à des non-réponses et ça a traîné en longueur... »

Il y a eu des creux, des périodes où lui et ses amis ont carrément laissé de côté leur idée. Quand ils ont repris leur bâton de pèlerin, ils ont commencé à comprendre la raison de leurs difficultés : ils n'étaient pas « dans les clous » aux yeux de Sylvie Andrieux, puissante élue socialiste locale. Ils ne s'étaient pas adaptés à ce fonctionnement, qui commence à faire parler de lui quand la justice en est saisie, elle qui soupçonne une distribution intéressée de la manne financière, subventions contre bulletins dans l'urne.

« Nous avons essayé de développer la citoyenneté en intéressant les jeunes à la politique, à la vie politique locale, aux institutions, en leur expliquant le rôle de chaque collectivité, en les incitant à s'impliquer, mais en les laissant libres de choisir une fois dans l'isoloir, plaide le très volontaire Aomar Sadoudi. C'est ça la démocratie et ce sont les valeurs auxquelles nous croyons, celles que nous voulions transmettre, et il était hors de question pour nous d'orienter les jeunes ou les personnes avec lesquels nous étions en contact pour les pousser à choisir tel ou tel candidat, en échange d'un stade de football. »

Cette équipe de bénévoles composée d'habitants du quartier semblent croire à ce qu'ils font et ne regardent pas le temps qu'ils consacrent pàr ce que notre interlocuteur appelle le « bien commun ». Cette façon d'être les aurait placés hors jeu, croient-ils savoir. Parce qu'ils n'avaient rien à apporter en échange de la manne publique ? L'enquête judiciaire en cours autour du système mis en place dans les quartiers Nord finit par les déniaiser. Ils découvrent que des projets financés n'ont jamais été réalisés, que des associations ont été subventionnées alors qu'il n'était pas démontré que leur action avait un impact sur la population.

« Le retour était simple, analyse Aomar Sadoudi. Cela consistait à permettre à l'élu qui distribuait les fonds l'accès à certains quartiers difficiles, à regrouper les personnes en amont de sa visite de façon qu'il arrive comme une diva devant une assemblée acquise à sa cause. C'est comme ça que ça fonctionne dans de nombreux quartiers. Les politiques s'appuient sur des meneurs, des personnes influentes, pour pouvoir accéder et circuler librement dans les cités où ils n'entreraient pas autrement. C'est ce système dans lequel nous ne sommes pas entrés, raison pour laquelle nous avons perdu beaucoup de temps. »

Quand l'équipe a déposé son dossier au conseil régional, sur le bureau du collaborateur de « Mme Andrieux », il n'a même pas levé la tête pour regarder ses visiteurs. Sur le coup, ils n'ont pas compris cette attitude cavalière, mais Aomar Sadoudi n'a pas perdu toutes ses illusions alors que le terrain prend enfin forme.

« Je veux croire que ça ne marche pas partout ainsi à Marseille, que c'est juste l'héritage d'une famille politique qui date de l'après-guerre et qu'il est difficile de changer les habitudes, dit-il. L'institution fonctionnait ainsi, pour eux il n'y avait pas d'autres voies que de traiter avec des personnes pas forcément recommandables, voire douteuses. Le mécanisme a rouillé, du nettoyage a été fait, mais il faut revoir les choses en profondeur pour arriver à une réelle vie démocratique. »

Comment les caïds ont-ils peu ou prou pris le pouvoir dans les quartiers ? Comment ont-ils contraint certains politiques à venir traiter avec eux comme un demi-siècle plus tôt l'on avait vu des voyous gérer la ville main dans la main avec Gaston Defferre ? Rien n'a échappé à l'œil d'Aomar Sadoudi, qui raconte :

« Il y avait des plans *deal*, une économie parallèle, mais cela ne dérangeait personne. Cela permettait soi-disant à des familles de vivre, mais je demande à voir. Il y en a qui en vivent très bien, mais la plupart des habitants de ces quartiers sont en difficulté et c'est d'ailleurs un avantage pour les politiques, dont ce n'est pas forcément l'intérêt de voir les gens sortir de cette misère. Plus les gens sont dans le besoin, plus ils pourront les contrôler, les manipuler. Au fil des trois dernières décennies, le *deal* a pris une telle ampleur que certains sont prêts à tout pour garder leur réseau et que l'on compte malheureusement les victimes par dizaines chaque année. Le point de bascule a été atteint, ce n'est plus possible de revenir en arrière parce que l'enjeu est trop important et que le rapport de force a changé. Ils sont dépassés par les événements, il y a aujourd'hui des personnes influentes dans le monde parallèle, on pourrait même dire qu'elles sont incontournables. Ils ne peuvent pas lutter contre, ils ne peuvent pas faire sans, mais je veux quand même croire à un retour à l'ordre juste et à la victoire des valeurs de la République. J'ai confiance en notre justice pour faire le ménage, même si je suis un peu déçu de voir qu'une personne jugée et condamnée à quatre ans de prison puisse continuer à voter des lois [Sa condamnation n'étant pas définitive, Sylvie Andrieux siégeait toujours à l'Assemblée nationale lorsque cet entretien eut lieu.] Le fonctionnaire condamné à de la prison ferme ne peut plus travailler dans la fonction publique, ça devrait être la même chose pour les politiques !

— Concrètement, comment les citoyens sont-ils pris en otage par les dealers dans les quartiers ?

— Si vous n'êtes pas du quartier, que vous voulez accéder à une cité où il y a un "plan stups", c'est-à-dire un endroit où ils ont mis en place tout un système d'alerte au cas où la police viendrait à intervenir, vous êtes tout de suite accosté. On vous pose des questions : "Où vous allez ?" "Qu'est-ce que vous faites ?" Un travailleur social qui se rendait dans une cité pour une réunion avec les institutions s'est vu demander de garer son véhicule et on l'a accompagné jusqu'au lieu de réunion. Voilà les comportements inadmissibles qu'on peut rencontrer.

— Diriez-vous que ces trafiquants font leur propre police ?

— Dans certaines cités, les riverains demandent l'autorisation aux "plans stups" avant d'organiser une fête de quartier. Ils préviennent, sinon ils ne peuvent pas la faire. Je veux bien qu'on demande l'autorisation à la mairie quand on est dans le domaine public, mais demander une autorisation à des dealers pour pouvoir mener une fête de quartier, c'est quand même gros ! Dans certains coins, ils sont même reconnus par les habitants comme une force, peut-être qu'il y a même des litiges qui se règlent avec eux. Et ça se passe à Marseille aujourd'hui !

— Quelle place occupe le modèle du dealer dans la culture des moins de 20 ans ?

— Avec l'association, nous avons beaucoup misé sur la formation. On essaye de construire un schéma de réussite avec les jeunes, mais c'est compliqué. Les exemples pour eux, hormis les sportifs comme Zidane ou les artistes comme Soprano [stars originaires des quartiers Nord de Marseille], et les signes de réussite restent malheureusement la belle voiture et les beaux vêtements du dealer. On a un ami passé par la Castellane dont l'aîné est diplômé de Stanford [une université américaine privée], ça fait plaisir, mais ça reste rare.

— Quelle est l'image de la police auprès des populations de ces quartiers ?

— La population réclame une présence policière, il n'y a qu'à voir ce qui se passe dans les zones de sécurité prioritaire [ZSP] lancées depuis 2012. C'est parce que la police a été retirée des quartiers dix ans plus tôt que les cités ont décliné. On n'a plus ce policier de proximité qui peut être à l'écoute de l'habitante, de l'habitant, et avoir vraiment accès aux informations de la cité... On a vu partir les policiers et, dans la foulée, les commerces de proximité. Un bureau de poste qui ferme, on ne se rend pas compte, mais ça favorise la rupture avec le reste de la ville. Beaucoup de ces services de proximité n'existent plus aujourd'hui. Une personne en difficulté qui veut avoir un assistant social doit faire des kilomètres, prendre peut-être deux bus, voire trois, pour trouver quelqu'un à l'écoute, alors qu'avant c'était accessible rapidement, pas très loin. Ces retraits successifs ont accentué la coupure et la ghettoïsation. Seuls sont restés dans les quartiers ceux qui ne pouvaient pas partir, qui n'avaient d'autre choix que d'utiliser ces écoles, de fonctionner dans ce système qui leur est imposé.

— Diriez-vous que s'est constitué au fil des ans une sorte d'ordre parallèle, dans le dos de l'ordre officiel, celui de la République ?

— Il y a deux mondes. Il y a celui que l'on connaît tous : on amène les enfants à l'école, on va travailler, on revient du travail, on récupère les enfants, on prépare à manger, la routine de milliers d'habitants à Marseille. De l'autre côté, on a ceux qui travaillent autrement, en parallèle. Dealer ou guetteur, c'est leur job. "Je peux pas aller au match de foot demain, je travaille", me disait l'autre jour un jeune, signe qu'à ses yeux trafiquer est un travail comme les autres. Ce désordre ne profite à personne, mais je ne pense pas que tout soit maîtrisé. Il n'y a personne à la tête de tout ça. Cela se fait au jour le jour et les litiges se règlent radicalement. Ils ont leurs règles et, dans leur monde, gare à celui qui ne les respecte pas ! »

Une simplicité et un franc-parler qui font du bien à entendre, tant les discours stéréotypés ont du plomb dans l'aile. D'autant que l'histoire finit bien : après des années de friches, un « city-stade » flambant neuf a fini par voir le jour au pied des tours.

Chapitre 14

La République vue par les gangsters / 6 : Les caïds de cité, ces nouveaux notables

Il est notre seul intervenant à s'exprimer sous un nom d'emprunt : « Sakho ».

En effet, cet ancien trafiquant de stupéfiants, né en Seine-Saint-Denis et aujourd'hui âgé d'une quarantaine d'années, a réussi sa réinsertion après avoir purgé la peine de prison qui lui a été infligée. Désormais, pour de vrai dans la légalité, il porte un regard aussi cru qu'instructif sur le développement du business de la drogue et l'économie souterraine. Où l'on voit que les compromissions entre élus et caïds autour des territoires perdus de la République, au nom d'une illusoire paix sociale, s'inscrivent dans le droit-fil des relations tordues entretenues au siècle dernier.

Âgé d'une quinzaine d'années au début des années 1980, Sakho se souvient parfaitement du climat qui régnait à l'époque dans le quartier de Seine-Saint-Denis où il a grandi, dans une famille d'origine malienne, comme il n'a pas oublié les premières barrettes de shit qu'il a vendues.

« Il y a un truc qui était magnifique en été, c'était le marchand de glaces qui arrivait avec sa petite sonnette. La première chose que tu fais, quand tu es gosse, c'est te mettre près du dealer, parce que tu sais qu'il va te donner un billet, te dire de garder la monnaie, et avec ça tu vas pouvoir acheter des glaces tranquillement pendant quinze jours. Tu as autour de 10 ans, tu grandis dans une famille nombreuse et tu as envie d'acheter des vêtements de marque pour être mignon, alors tu demandes à donner un coup de main, à contribuer au business pour avoir ton billet et acheter ta paire de baskets, ton survêtement, et pouvoir aller consommer à Paris, où c'est plus cher. Puis c'est l'engrenage. Un peu par hasard, tu te retrouves complètement dans le "biz". Tu y entres un peu plus quand tu as 16 ans et qu'il n'est pas question de demander quoi que ce soit aux parents – en ce qui me concerne, mon père est mort dans un accident du travail quand j'avais 10 ans.

Le dealer du coin regarde ton intelligence, ta capacité à te camoufler, à ne pas parler, et plus tu montes, plus tu es le roi…

« La petite musique qui tourne à l'époque, c'est celle des usines qui commencent à fermer et des parents qui tombent au chômage, une situation délétère, mais en même temps il y a une espérance parce que François Mitterrand vient d'être élu. On voit apparaître les colonies de vacances pas chères, les centres de loisirs, le gymnase et le football à volonté. On sent que la municipalité souhaite nous accompagner, mais, pour partir en vacances, il faut de l'argent que chacun se fait comme il peut… Avec quelques bons camarades, on se met à vendre du shit, d'abord quelques barrettes, puis un peu plus, suffisamment pour aller dans le Sud en été.

« La municipalité s'aperçoit vite que tu ne viens plus au centre de loisirs. Les gens de la mairie ne savent pas comment tu te débrouilles pour partir, mais ils te respectent parce que, avec ton argent, tu es automatiquement plus fort dans le quartier. Ils t'invitent à des réunions, et tout de suite, tu te sens important. C'est après coup, lorsque tu grandis, que tu t'aperçois que tu t'es fait manipuler : les élus de la mairie comptent sur toi pour que les gens, au quartier, pensent comme eux et surtout votent pour eux. Tu comprends vite que le pouvoir est plus important que l'argent. Le pouvoir te fait entrer dans la société, il t'apporte boulot et appartement, il t'intègre, tandis que le business te met toujours en marge de la société, dans un univers parallèle…

— Comment le trafic est-il structuré à l'époque ?

— J'arrive dans le business à une époque où il y a encore des règles. Les anciens [le milieu français] sont positionnés sur l'Espagne. Quelques équipes bien implantées alimentent le 9-3 et tout l'est de Paris, des gens qui me font confiance et remontent la marchandise tranquillement. Ceux qui sont en bas [en Espagne] sont parfaitement connus des services de police, quant à nous on travaille sereinement parce qu'on tient les quartiers. À partir du moment où tu tiens les quartiers et que ça se passe relativement bien, on ne vient pas t'emmerder. On s'était juste fixé une règle entre associés, entre ceux d'en bas et ceux d'ici, c'est de ne jamais laisser entrer l'héroïne dans le quartier, parce que dans la génération qui nous avait précédés, beaucoup étaient morts à cause d'elle.

— Iriez-vous jusqu'à dire que vous faisiez la police dans le quartier, que vous fixiez les règles, que vous dictiez quelque part vos lois ?

— Complètement, oui. On avait pignon sur rue parce qu'on faisait travailler une quinzaine de personnes. Faire travailler les gens, c'est leur donner à manger, en échange il y a forcément des règles, des devoirs, une feuille de route à tenir. Au quotidien, il s'agit de ne pas se faire repérer, de rester tranquille, de donner une poignée de main à la police de proximité quand elle passe. On était respectueux et on n'était pas emmerdés. D'une certaine façon, on faisait la police à côté de la police. Et le fait d'aider la police à faire en sorte que cela se passe bien, que personne ne marche sur les pelouses des jardins publics, que personne n'arrache les fleurs, que les jeunes respectent l'environnement était pour nous un gage de tranquillité. On "tenait" la génération d'en dessous et tout se passait très bien, surtout avec la police municipale, celle qui savait le plus de choses sur le quartier.

— En clair, vous étiez à peu près certains de ne pas avoir d'ennuis avec le commissariat du coin ?

— On connaissait les policiers locaux, parfois on était même allés à l'école ensemble. On n'était pas gênés avec eux, parce qu'il y avait cette relation "sympathique". Les premiers soucis qu'on a eus, c'est avec la BAC [brigade anticriminalité], ces flics avec un accent du Sud qui ont commencé à débarquer la nuit et à faire les cow-boys. On a fait un peu plus attention. On n'a pas hésité à aller à la confrontation parfois, quand on n'avait rien sur nous, puis on a rapidement compris comment les tenir à distance :

on laissait quelques billets dans la boîte à gants, ils les prenaient quand ils nous contrôlaient et nous laissaient tranquilles.

— Donc la paix sociale, c'est à peu près ça : des policiers qui savent très bien qui fait quoi, qui s'en contentent tant que la situation semble sous contrôle et qui se servent un peu au passage ? S'ils ne vous avaient pas laissés travailler, vous et vos amis auriez mis le feu à la ville ?

— Je suis issu d'une génération qui ne cramait pas la voiture du voisin et respectait l'environnement. On faisait notre business tranquillement et cela marchait dans les deux sens, parce que la municipalité faisait aussi en sorte que ça fonctionne bien. Il n'y avait pas de contrôles d'identité, de fouilles des voitures, et dès qu'on sentait qu'un flic allait un peu trop loin, on montait directement s'en plaindre en mairie. On savait ralentir un peu celui qui faisait le cow-boy, sans l'insulter ni lui courir derrière. On disait au maire : "Soit tu le calmes, soit on va le calmer en brûlant sa voiture et les gens vont entendre parler de ta ville différemment. Ça va plus être la ville fleurie, ça va être la ville d'autre chose, et les élections, c'est dans deux ans, on s'en." Si le message ne passait toujours pas, on était encore plus clairs : "S'il continue à faire le cow-boy, on va s'occuper de lui et on va s'occuper de ta ville."

« C'est à cette époque que les mairies ont recruté massivement ce qu'on a appelé des "grands frères", en fait des voyous implantés localement dans les quartiers. C'était la clef de la paix sociale. À partir du moment où le maire nous donnait à manger, forcément on voulait continuer avec lui, surtout s'il ne regardait pas trop les horaires de boulot et qu'on pouvait faire notre business pépère. L'autre façon de faire, c'était de monter une petite association dans le quartier, de dire qu'on devait aider les jeunes, sinon ils allaient tout casser et de faire son petit billet au nez et à la barbe de tout le monde, sous forme de subvention. C'est un système que je n'ai pas trop aimé parce que tu te fais de l'argent sur le dos de la misère, mais d'autres n'ont pas hésité.

— Est-ce que cela peut aller jusqu'à se transformer en agents électoraux pour chercher des voix dans les cités à l'approche des élections municipales ?

— Un jour, alors que j'assistais dans le quartier à une réunion politique, j'ai reconnu deux "collègues" du quartier. C'était la première fois de ma vie que je les voyais poser des questions. En fait, ils étaient dans la foule pour permettre au maire de répondre favorablement et lui donner toutes les chances de garder le pouvoir. C'était une époque où il y avait un peu d'argent, je pense que ce serait un peu plus dur maintenant, mais ceux qui sont rentrés comme fonctionnaires le sont encore aujourd'hui et ne lâcheront jamais leur boulot.

— Le caïd, finalement, c'est celui qu'on écoute dans la cité ? Celui à qui on obéit ?

— Le caïd, c'est l'ancien. C'est celui qui est sur site vingt-quatre heures sur vingt-quatre, dans le quartier, et qui a accès à la plus haute autorité locale, le maire, en direct. Il est capable de faire passer des messages, de trouver un stage, un appartement, pourquoi pas une vacation. Pour les générations qui sont juste en dessous de lui, il est la personne la plus importante. Il a les clefs du gymnase, du terrain, de la piscine. Il a accès à tout, tout le temps. C'est un personnage incontournable, toutes les familles le savent. Le maire, on ne le voit pas se balader dans le quartier, sauf les jours d'élections autour du marché, alors le caïd est le relais obligé. Il fait participer les garçons au business, les enrichit au quotidien, leur permet de s'habiller, de se nourrir. Il a sa petite armée. Il tient la situation. Il est incontournable. C'est le taulier. En termes de pouvoir, il est plus efficace que le professeur de français ou de mathématiques du collège du coin.

— Les caïds sont-ils les nouveaux notables ?

— Oui, cela se voit très bien dans certaines communes du sud de Paris, où ces caïds sont carrément devenus les bras droits des maires, avec tout ce que cela comporte. En Seine-Saint-Denis, c'était plutôt l'emploi et l'entraide, mais les amis qui sont dans l'Essonne occupent carrément des postes importants.

— Le caïd est-il un homme politique en puissance ?

— Je vois peu de différences entre certains maires, qui arrosent tout le monde pour garder leur ville, et mon ami Momo qui est près du maire et qui donne à manger aux gens qui sont autour de lui. La seule différence, c'est que le maire a le portefeuille en direct, alors que Momo doit frapper à la porte du maire pour pouvoir distribuer des fonds.

— Les trafics font-ils vivre le quartier ? La République a-t-elle besoin de cette économie parallèle pour que les quartiers n'explosent pas ?

— Quand tu as de l'argent, tu fais vivre les gens autour de toi, mais aussi les petites entreprises du coin, l'épicier, le boulanger, le café. C'est dans ce sens que tu contribues à la stabilité sociale, parce que l'économie locale marche plutôt bien. Il y a des espèces, et dès lors que les espèces tournent dans le quartier, c'est calme. Les quartiers qui sont en guerre, où il y a des affrontements tous les jours, sont les quartiers où ça ne se passe pas très bien économiquement. Quand il y a de l'argent, il n'y a pas de bordel. Celui qui a besoin d'un petit billet, d'un petit crédit, il sait par où passer. J'ai aidé plein de familles, des mamans divorcées, des enfants, des gens à passer leur permis, pour qu'ils soient en règle à l'heure de participer au business. On aidait aussi celui qui était très fort en études, qui avait un potentiel, et certains sont devenus avocats et occupent des postes importants aujourd'hui.

— Est-ce que la police est crainte dans les quartiers ?

— J'ai connu des flics qui parlaient à mes fournisseurs en direct, qui leur tapaient dans le dos en disant : "Je t'aurai un jour, tu verras ! Si tu gagnes, respect, si tu perds, respect." J'ai vu ça en direct, et ces flics-là, je les mets à part. Le flic de base, c'est autre chose. Il est plus suiveur que meneur. On a tous en mémoire ceux qui sont allés chercher les Juifs et les Gitans pour les mettre dans les camps pendant l'Occupation. On leur dit "stop", ils s'arrêtent ; on leur dit "avance", ils avancent…

— Personne ne peut croire que ce "métier" de dealer s'exerce sans risques, ni que vous soyez passé à travers les filets de la loi tout au long de votre carrière, aujourd'hui derrière vous…

— Certains pensent que c'est facile, mais c'est une vraie entreprise. On travaillait dur pour faire en sorte que ça fonctionne autour de nous. C'est pas du flan. Le risque est important. Plus tu t'enrichis, plus tu fais des envieux. La jalousie aidant, les juges et la police voulant des résultats, ça finit par te tomber dessus à un moment donné. Une dénonciation, quelques clichés, quelques écoutes et on t'élimine, même sans saisir le moindre gramme de shit, comme cela m'est arrivé… Mon seul regret, c'est de ne pas avoir été proche du pouvoir, car je pense qu'on m'aurait laissé tranquille un bon bout de temps. J'avais laissé le local pour l'international, c'est ce qu'ils m'ont fait payer. Tant que j'étais sur le terrain au quotidien, à gérer le quartier, je n'ai pas été inquiété, alors que tout le monde savait ce que je faisais. À partir du moment où j'ai grandi, où on m'a vu en Espagne, en Hollande, les soucis ont commencé.

— Comment percevez-vous vos successeurs sur le terrain ?

— Je ne suis pas sûr qu'ils aident comme on l'a fait ceux qui veulent aller dans le bon sens. Je ne suis pas certain non plus qu'ils prêtent de l'argent comme on a pu le faire, sans vouloir faire le vieux. Je constate aussi qu'ils sont souvent trop voyants, trop bling-bling dans les boîtes de nuit. Je les sens moins pragmatiques que nous l'étions, mais, au fond, ils nous ressemblent : on est entrés dans le business parce qu'on voulait tout avoir et vite, pour être bien au quotidien, pour jouir de Paris, pour ne pas manger des pâtes et des pommes de terre tous les jours. On est à proximité de la plus belle ville du monde et on n'y aurait pas accès ? C'est juste une question de jouissance… »

Certains considéreront qu'on ne devrait pas laisser la parole aussi longuement à un ancien repris de justice, mais sans cette parole libre, le portrait de cette France peu médiatisée resterait bancal et incomplet.

Chapitre 15

La République, otage de la drogue / 2 : L'Île-de-France

Avant d'entendre les politiques, écoutons ceux qui sont censés incarner la loi et la faire respecter, un policier, puis un magistrat. Avant de devenir secrétaire général adjoint du syndicat Unité SGP Police FO, Nicolas Comte a connu la police sur le terrain, en particulier en Seine-Saint-Denis, ce département que l'on présente parfois comme l'un des territoires les plus difficiles à contrôler pour les forces de l'ordre, entre une forte présence de Français d'origine immigrée, un taux de chômage énorme et une pauvreté réelle. Comment le jeune fonctionnaire qu'il était a-t-il appréhendé ce territoire, lui qui a été affecté à la compagnie départementale d'intervention de Seine-Saint-Denis dès sa sortie de l'école, en 1994?

« Des policiers sans expérience, un taux d'encadrement inférieur à la moyenne, une délinquance importante, on cumulait les difficultés, se souvient-il. La police rentrait encore dans toutes les cités. Il fallait faire vite, ne pas s'attarder parce que très rapidement on frôlait le début d'émeute et les débordements, ce que précisément on voulait éviter parce que cela se verrait. Si une équipe de policiers était victime de projectiles, ils ne répliquaient pas, si cela permettait de maintenir le calme, ce qui satisfaisait tout le monde : ceux qui ne voulaient pas que les problèmes se voient, comme ceux qui en profitaient pour faire prospérer le business. »

Notre policier confirme à distance l'analyse que développait « Sakho » quelques pages plus haut : les cités les plus calmes étaient bien souvent les cités où il y avait le plus de trafic, parce que les trafiquants n'avaient pas intérêt à ce qu'il y ait des débordements qui risquaient d'attirer l'attention ou de provoquer la venue de la police. Ce qui aurait pour inconvénient de faire fuir les clients.

« C'est ce que l'on appelle "acheter la paix sociale", dit Nicolas Comte. On a privilégié une politique qui ne faisait pas de vagues. Cela donnait l'impression que tout allait bien, personne ne voulant voir que la situation, en réalité, se dégradait dans ces cités. On a indirectement favorisé l'émergence de nouvelles règles, avec la mise en place d'une économie parallèle, puis d'une société parallèle. Tant que les quartiers ne faisaient pas l'ouverture du Journal de 20 heures, tout le monde était content. »

Surtout pas de vagues, c'est la politique qui domine à l'époque. Reculer plutôt que de susciter des feux de poubelles et de voitures qui vont attirer les journalistes. Les consignes ne sont évidemment pas écrites, mais les policiers prennent le pli. Si le quartier est calme, ils y patrouillent, procèdent éventuellement à une arrestation s'ils détectent un véhicule volé, jusqu'au moment où ils sont pris à partie.

« À partir de là, se souvient Nicolas Comte, la salle de commandement nous donnait, sur les ondes, consigne de sortir de la cité, des véhicules se positionnaient en renfort aux alentours et on attendait une autorité, un commissaire, qui ne nous demandaient jamais d'entrer dans la cité où les choses retombaient d'elles-mêmes. Si le quartier était chaud depuis quelques jours, que des policiers avaient pris quelques projectiles en périphérie, la mise au point avait lieu oralement, au moment de la prise de service : instruction était donnée de ne pas pénétrer dans cette cité, mais de se contenter de tourner autour pour prendre le pouls.

« Il n'y avait pas de cités interdites, poursuit le syndicaliste, mais, pour le jeune policier que j'étais, avec le Code pénal en tête, il était difficile de comprendre pourquoi la loi ne s'appliquait pas toujours dans ces quartiers comme ailleurs. Quelqu'un circulait sur une moto sans casque à Paris, on l'interpellait et on dressait une contravention ; dans ces quartiers, on y réfléchissait à deux fois parce qu'on savait que ça risquait de partir en émeute. Il y avait donc deux poids, deux mesures dans l'application de la loi, simplement parce qu'il aurait fallu beaucoup plus de moyens pour la faire appliquer. Personne n'a protégé activement ces trafics, mais, en fermant les yeux sur ce qui se passait, on a permis qu'ils s'installent dans les mentalités. L'argent de la drogue est monté en puissance sans qu'aucune alternative soit proposée. La réalité, c'est que cette drogue fait vivre plein de monde, qu'elle enrichit le dealer et le personnel qu'il utilise, qui eux-mêmes ont des familles… Et qu'un certain nombre de politiques portent une lourde responsabilité dans ce système. Je me souviens de maires déboulant au commissariat pour exiger la libération de personnes que nous avions interpellées. Ces gens, dont certains étaient liés au trafic, se sont évidemment sentis soutenus. »

Y a-t-il eu, ces dernières années, des moments où il a considéré que les politiques allaient dans le bon sens et freinaient cette dérive irrépressible ? Nicolas Comte cite deux événements. Le premier, c'est la décision prise par Jean-Pierre Chevènement, ministre de l'Intérieur, en 1998, d'ouvrir la police pour qu'elle soit représentative de la population, par le biais des emplois jeunes. « Aujourd'hui, dans un département comme la Seine-Saint-Denis, nos collègues sont à l'image de la population, ils viennent de toutes les origines », observe-t-il. Puis, il y a eu la création de la police de proximité peu après. Elle a été mise en place dans quelques secteurs test, avec des policiers très expérimentés, des chefs compétents et respectés. Montfermeil, en Seine-Saint-Denis, faisait partie des zones expérimentales, avec un équipage de la BAC toujours prêt à intervenir si les « collègues » de la police de proximité étaient pris à partie.

« Personne n'avait envie d'y aller au départ, mais ceux qui ont démarré ne voulaient plus changer de mission parce qu'ils ont vu que c'était efficace, rappelle notre interlocuteur. Non seulement on leur demandait leur avis, mais ils patrouillaient en uniforme au milieu de la cité. Le problème, c'est que ceux qui avaient créé le concept l'ont tué et que la politique s'en est mêlée. Ils ont voulu étendre la police de proximité à toutes les villes alors que nous n'étions pas dimensionnés pour ça, en termes d'effectifs, et elle s'est totalement écroulée d'elle-même. Quand Nicolas Sarkozy est arrivé au ministère de l'Intérieur en 2002, il n'a plus eu qu'à mettre les clous sur le cercueil : la police de proximité était déjà morte.

— Cette police de proximité était-elle la bonne arme contre les dealers dans les quartiers ?

— La seule manière d'éradiquer le trafic de stupéfiants, c'est d'être présent au quotidien. La police de proximité pouvait faire remonter des informations puisqu'elle avait le contact avec les habitants du quartier, les mieux informés. Elle en faisait bénéficier les services spécialisés, y compris la police judiciaire. L'erreur a été de présenter cette police de proximité comme la solution miracle, alors qu'il n'y a pas de solution miracle. C'était juste un moyen approprié pour pacifier un quartier, la situation s'est d'ailleurs largement dégradée depuis. Il y a des quartiers, des immeubles, dans lesquels la loi est faite par les dealers. On ne parle plus seulement d'économie parallèle, mais de police ou de loi parallèle, puisqu'il faut montrer patte blanche pour rentrer, dire qui on va voir.

— Quelles ont été les conséquences des émeutes de novembre 2005 pour la police ?

— Nicolas Sarkozy a mis un coup d'arrêt à la police de proximité, mais, en novembre 2005, c'est bien deux policiers qui ont été mis en cause dans l'affaire de Clichy-sous-Bois et la mort de deux jeunes qui se sont cachés dans un transformateur électrique[1]... Ces émeutes ont été un véritable choc, avec une situation que notre génération n'avait pas connue. Par la suite, le choix qui a été fait par le pouvoir politique a été de remodeler la police pour faire face à de nouveaux événements de cette nature. La plupart des policiers nouvellement affectés dans le 93 l'ont été dans des unités d'intervention, tandis que les commissariats ont commencé à tirer un peu la langue. La police du quotidien s'est retrouvée en sous-effectif, ayant même du mal à fonctionner. La nouvelle doctrine des unités d'intervention était la suivante : saturer l'espace d'effectifs au moindre commencement de problème. La police n'est pas présente au quotidien, elle vient pour une intervention, mais ne reste pas. La lutte contre le business de la drogue n'est plus la priorité. L'objectif est de lutter contre la délinquance qui se voit et de faire en sorte que les cités ne s'embrasent pas. On a forcément abandonné le terrain, les services de police judiciaire ont commencé à rencontrer beaucoup de difficultés pour obtenir des renseignements et les cités sont devenues des citadelles dans lesquelles on entrait par moments en force pour mener une opération.

1. Poursuivis pour non-assistance à personnes en danger, un jugement définitif de relaxe à été rendu en 2015 à l'encontre des deux fonctionnaires de police.

« Vingt ans plus tard, la situation s'est fortement dégradée, à la fois pour les habitants et pour les policiers, dont les conditions de travail sont plus difficiles et plus dangereuses, parce que le niveau de violence a monté et que les agressions sont systématiques. L'un des problèmes, c'est que le temps politique est très court, or le temps qu'il faudrait pour mettre en place des solutions dans ces quartiers difficiles est très long. Il faudrait presque un consensus national, au lieu de changer de méthode à chaque gouvernement.

— Que dire à un jeune policier qui prendrait ses fonctions aujourd'hui dans le 93 ?

— Je lui dirais de faire attention à lui. Je lui dirais aussi que ses repères habituels n'ont pas cours dans certains territoires, qu'il aura affaire à des gens qui veulent appliquer leurs règles et qu'il sera vu par nombre de délinquants comme un ennemi à combattre. Autant ils ont un temps préservé le business en faisant profil bas, autant ils cherchent aujourd'hui à établir un rapport de force avec la police pour sanctuariser des lieux. L'idéal serait en fait de nommer dans ces territoires des policiers ayant beaucoup d'expérience, mais ce n'est malheureusement pas possible.

— D'anciens caïds briguent des responsabilités politiques dans quelques municipalités. Que vous inspire cette forme d'entrisme ?

— Ce n'est pas sans rappeler ces villes du sud de la France qui furent autrefois le théâtre de collusions entre politiques et gangstérisme. Je ne vois pas ces alliances se généraliser, mais le policier risque d'avoir du mal à travailler dans ces communes, d'autant que le renforcement des polices municipales, dont les maires sont les patrons, ouvre la porte à tous les clientélismes, à toutes les dérives… »

***

Après l'œil du policier, voici celui du magistrat. Sébastien Piffeteau, procureur de la République au tribunal de grande instance de Bobigny, en Seine-Saint-Denis, réagit lorsqu'on évoque devant lui l'expression « économie souterraine » :

« Cette économie n'est pas souterraine, elle se fait au vu et au su de tous, personnels judiciaires, citoyens, journalistes. Il suffit d'avoir des yeux pour observer ce qui se passe. Son poids économique, c'est un chiffre d'affaires d'environ un milliard d'euros par an, un argent qui alimente avant tout la vie quotidienne de ceux qui sont impliqués dans le trafic. »

Comment en est-on arrivé là ? Y a-t-il eu, selon lui, une forme de laisser-faire au cours des dix dernières années ?

« On n'a pas pris en compte les facilités que produisait cet argent pour ceux qui alimentent le trafic, mais aussi pour ces vendeurs interchangeables, ces guetteurs, admet notre interlocuteur, mais je suis certain que ce trafic n'a pas bénéficié du laxisme des autorités en charge de le combattre. La police s'est toujours impliquée, les magistrats aussi. Non, ce qui est compliqué à gérer, c'est la masse, la hausse du nombre de consommateurs comme la diversité des produits. Mais, à aucun moment, je n'ai eu l'impression que nous avions abdiqué. Est-ce qu'on n'a pas été bons ? Est-ce que la lutte est si compliquée à mettre en place ? Est-ce qu'on arrivera à faire reculer le trafic ? Je pourrais vous le dire si la guerre était terminée, ou plutôt ce combat, car les mots guerriers n'ont pas forcément de sens quand on parle de justice… Ce qui est certain, c'est qu'on démantèle des réseaux, mais les trafics ont une capacité de résilience hors norme, notamment à cause de l'attrait économique du trafic.

— La notion de territoire perdu de la République a-t-elle un sens pour le magistrat que vous êtes ?

— Ces territoires, on les connaît. Je ne suis pas certain qu'ils soient "perdus" parce qu'un endroit où se vend la drogue est un endroit de vie, où habitent des gens, où il y a des commerces. Ce ne sont pas des endroits où l'on n'entre pas, c'est même le contraire, puisqu'ils fonctionnent avec un flux de consommateurs généralement extérieurs. On est sur quelque chose d'un peu insulaire, des îlots de délinquance qui sont à la fois très localisés et très mouvants... Abandonner ces territoires reviendrait à abandonner l'ensemble des gens qui y vivent, nous souhaitons plutôt en exclure ceux qui gâchent leur vie.

— En avez-vous les moyens ?

— Je déplore évidemment qu'on n'ait pas plus de policiers sur le terrain, pas plus de magistrats dans les tribunaux, pas plus d'audiences, mais je refuse de m'en tenir à cette explication. Il faut inventer des stratégies d'enquête, penser aussi vite que les trafiquants, ne pas se dire qu'ils auront toujours un coup d'avance. La difficulté de la réponse judiciaire est liée aux problèmes que l'on a pour démontrer qui fait quoi. Un trafic, c'est quelque chose qui est extrêmement imperméable. C'est avant tout un terrain, avec un système de surveillance et peu de produit [cannabis, cocaïne, héroïne] sur place. C'est un cloisonnement de l'information, les bons organisateurs n'étant pas connus de leurs relais. C'est un gérant qui emploie des gens interchangeables et souvent extérieurs à la commune, qui, lorsqu'on les interpelle ne sont pas nécessairement en capacité de dire à qui l'argent était destiné. C'est une organisation méthodique et rationnelle qui rend presque impossible d'arriver jusqu'en haut en commençant par le bas, sauf à avoir l'information qui permet de contourner la structure. Ce sont des liens historiques avec les régions de production du cannabis, dus aux différentes vagues de personnes venues s'installer dans le département.

— La topographie des lieux est-elle parfois un obstacle ?

— La topographie est un support du trafic, lequel confisque les lieux, les dégrade, les modifie à son service. Pour comprendre ce qui s'y passe, il faut pouvoir surveiller, ce qui est très difficile.

— Les différentes affaires de corruption qui ont récemment marqué la police, notamment en Seine-Saint-Denis, inquiètent-elles le magistrat que vous êtes ?

— Le magistrat ne peut qu'être inquiet lorsqu'il constate que ceux qui ont en charge l'ordre public succombent à la facilité de l'argent. Mais j'aurais été beaucoup plus inquiet si les auteurs de ces présumés agissements n'avaient pas été arrêtés. La République est encore capable de réagir quand ceux qui l'incarnent dépassent les lignes. La déontologie, c'est le respect de l'engagement, la force du serment, tout ce qui fait qu'on ne se trompe pas de camp.

— Une légalisation du cannabis peut-elle être, au vu de votre expérience, une issue pertinente ?

— En tant que magistrat, j'ai souvent été gêné par les discours qui tendaient à déresponsabiliser le consommateur en érigeant le simple usage d'un joint comme un geste anodin… La légalisation est une fausse bonne idée. On n'autorisera jamais la mise sur le marché de produits ayant une nocivité extrêmement importante. On sera donc en dessous de ce que l'on trouve dans la rue, en termes de qualité. On devra par ailleurs fixer des prix, qui seront nécessairement plus élevés que ceux du marché. Légaliser, cela reviendrait donc à mettre à disposition un produit moins bon et plus cher. Je ne suis pas certain du succès. Je ne pense pas non plus que cela soit une véritable bonne idée pour l'ordre public, ni pour la santé publique, si l'on tient compte de ceux qui sont dans une dynamique de dépendance au produit.

— Connaissant le poids financier des trafiquants, êtes-vous inquiet du poids politique qu'ils pourraient un jour peser dans ce département et quelques autres grâce à ces subsides ?

— Ce dont on est certain, c'est que l'argent, c'est du pouvoir, c'est une puissance. Ce que l'on sait également, c'est que certains bandits ne sont pas étrangers à la vie politique, du moins citoyenne. Au travers d'écoutes, d'enquêtes qu'on a pu mener, on a compris que des personnes impliquées dans le trafic de stupéfiants suivaient de près les changements que pouvaient entraîner des élections municipales. Et quand ces personnages s'intéressent à quelque chose, c'est forcément qu'ils y trouvent un intérêt. Je ne peux affirmer que des élus sont acquis à la cause des trafiquants, en revanche je peux me rapporter aux propos de certains élus qui m'ont indiqué que les prochaines personnes influentes, y compris validées par le suffrage universel, seraient des gens impliqués dans le trafic de produits stupéfiants. C'est une dynamique face à laquelle nous devons rester vigilants, d'autant que certaines villes au climat plus méridional ont fait la preuve qu'elles avaient éprouvé ce modèle de façon un peu plus concrète.

— Une affaire de stupéfiants a récemment été jugée devant le tribunal de Bobigny, dossier peu ordinaire dans la mesure où les trafiquants utilisaient, pour prospérer, les infrastructures de la municipalité de Bagnolet, en Seine-Saint-Denis. Quelle est la genèse de ce dossier ?

— Nous sommes en février 2012 lorsque le parquet de Bobigny est destinataire d'une information relayée par la brigade de stupéfiants de Paris, selon laquelle un trafic de produits stupéfiants était en train de se développer dans un quartier de Bagnolet. Sur la base de cette information, une enquête préliminaire est ouverte et plusieurs lignes téléphoniques branchées. Les surveillances permettent de concrétiser l'existence d'un trafic relativement important et une information judiciaire est ouverte. La phase opérationnelle se déroule quelque temps plus tard sous la direction du juge d'instruction. Elle est très positive, puisque l'on a saisi onze kilos de cocaïne, plusieurs armes, des centaines de munitions et de grosses sommes d'argent chez ceux qui sont considérés comme les dirigeants de ce trafic.

« L'information judiciaire met au jour un contexte bien particulier eu égard à la personnalité de l'un des mis en cause travaillant dans l'équipe municipale de Bagnolet. C'est à l'endroit où étaient remisés les engins de voirie qu'ont été faites la plupart des découvertes : armes et cocaïne. À défaut d'être le support même de l'infraction, ce contexte interroge le magistrat instructeur comme le ministère public, la question étant de savoir comment a pu être utilisé à des fins personnelles, comme support du trafic, un bâtiment municipal qui n'avait évidemment pas cette vocation.

« Dans un premier temps, pendant la phase des gardes à vue, le mis en cause est assez percutant sur ses relations avec l'équipe municipale, expliquant qu'il avait pu rendre des services qui auraient conditionné en quelque sorte sa montée en puissance, ou, en tout cas, ses responsabilités grandissantes au sein de la municipalité. Et puis, avec le temps, au cours de l'instruction, il se rétractera, transformant ces mises en cause en une sorte de loyauté vis-à-vis de l'équipe en place. Ce qui veut dire que, judiciairement, cette présomption n'apparaissait pas comme moteur dans la construction du trafic.

— Qu'est-ce que ces relations de proximité inspirent à un magistrat qui se bat au quotidien contre le trafic de stupéfiants?

— Lorsqu'on a été confronté à cette situation, on s'est nécessairement interrogé sur l'ampleur de la gangrène. Avant d'envisager une mesure de prophylaxie, il a fallu vérifier si l'on était face à un cas de confiscation du suffrage universel ou si, au contraire, on était face à quelqu'un qui avait profité de ses fonctions au sein de l'équipe municipale pour faciliter un trafic de cocaïne. Et des investigations que l'on a pu mener, il n'a pas été possible de déterminer si cet individu avait été embauché dans l'intention de s'employer dans un trafic. Ce que l'on a établi, c'est qu'il a profité de sa position pour assurer la logistique de ce trafic.

— Cette affaire ne porte-t-elle pas en germe les liens incestueux qui peuvent parfois se nouer, sur ces territoires municipaux, entre les élus locaux et les caïds en place ?

— Vous parlez de liens "incestueux", je dirais plutôt que l'on est dans l'incestuel. Ce n'est pas tout à fait la même chose. L'incestueux, c'est quand on objective des relations de loyauté, voire des gens qui sont redevables les uns envers les autres. L'incestuel, c'est quand on a un contexte dans lequel s'inscrivent des faits de délinquance de droit commun. Dans le cas précis de Bagnolet, les liens incestueux n'ont pas été démontrés, mais on s'est interrogé sur le contexte à partir des responsabilités qui avaient été confiées par l'équipe municipale à cet homme. On a ainsi appris qu'il avait accédé à un emploi à la mairie au moment des troubles dans le département de la Seine-Saint-Denis [en 2005] et que sa capacité à s'imposer comme un "grand frère" avait pesé dans le choix de son recrutement, avec mission d'atténuer les tensions au sein de la ville. Il y avait une forme d'état d'urgence et les élus ont eu recours à des personnes ressources. On s'est demandé si ce service initial ne s'était pas transformé en service continu. L'homme était allé assez loin durant sa garde à vue, expliquant qu'il avait pu aider les élus en place en dissuadant l'opposition d'être trop bruyante. L'enquête n'a cependant pas permis de démontrer que des élus auraient été acquis à la cause des voyous, pas plus qu'elle n'a établi la dynamique inverse. »

***

Qui de mieux qu'un élu local pour reprendre la balle au bond ? Ancien maire d'Asnières, député socialiste des Hauts-de-Seine, spécialiste des questions de sécurité, Sébastien Pietrasanta nous reçoit à l'Assemblée nationale. Que pense-t-il de ces « grands frères » recrutés à tour de bras par les maires ? Comment les choisit-on ? À quoi servent-ils vraiment ?

« La politique des "grands frères" remonte aux années 1980, observe-t-il. L'idée était de faire émerger les figures du quartier, de les valoriser et de les embaucher pour acheter la paix sociale. Ces grandes gueules ont un avantage, celui de pouvoir ramener un certain nombre de voix le jour des élections, mais l'élu local peut aussi avoir une bonne intention, celle de valoriser des jeunes dans nos quartiers.

— Avant de recruter un "grand frère", est-ce qu'on lui demande son casier judiciaire ?

— Il faut évidemment être prudent lorsqu'on embauche quelqu'un dans une collectivité locale. En même temps, dans nos quartiers, beaucoup de jeunes ont un casier, or c'est aussi le rôle des collectivités locales de donner une seconde chance, un second départ à quelqu'un qui aurait purgé sa peine. Il faut trouver le juste milieu, le bon dosage, tout en étant extrêmement prudent. L'idée, c'est de ne pas laisser se constituer un groupe d'anciens délinquants qui feraient la pluie et le beau temps dans tel ou tel service. Embaucher quelqu'un avec un casier judiciaire avec une volonté de réinsertion professionnelle, c'est louable, l'embaucher pour jouer les gros bras dans une collectivité, c'est un peu moins bien.

« Dans les années 1990, on a vu des élus financer un certain nombre de structures qui avaient pour objectif de recruter telle ou telle personne, une pratique qui s'est poursuivie jusqu'à aujourd'hui sous différentes formes, parce que c'est mieux d'avoir tel individu avec soi que contre soi. On a vu des jeunes cramer des bagnoles, des abribus ou des cabines téléphoniques pour mettre un coup de pression au maire, sur le mode : "Faut que tu m'embauches, sinon tu vas avoir des ennuis." Et parfois, certains ont fermé les yeux, au risque de renvoyer une mauvaise image à la population. Car à un moment donné, quand on embauche le dealer du coin, un délinquant au passé notoirement connu, la question de l'exemplarité se pose vis-à-vis du jeune qui bosse, du retraité ou du chômeur.

— Que s'est-il passé quand vous avez voulu recruter des "grands frères" extérieurs au quartier, à Asnières ?

— Quand je suis devenu maire, j'ai voulu créer un service de médiation. J'ai fait savoir, par une interview au *Parisien*, que je n'embaucherais aucun de ces médiateurs au casier judiciaire chargé qui sont là pour acheter la paix sociale. Je voulais des gens diplômés, ayant une expérience sur le terrain. Cela m'a valu énormément de critiques de la part de jeunes connus dans le quartier qui ont dit partout que j'allais embaucher à l'extérieur…

« Cela me rappelle ce petit centre commercial dans les quartiers Nord d'Asnières, où il y avait régulièrement du vandalisme. Les vigiles fermaient un peu les yeux face au vol à l'étalage, une façon d'acheter la paix sociale dans le quartier. Le magasin en a eu marre et s'est tourné vers une boîte de sécurité extérieure qui pratiquait la tolérance zéro. Il y a eu une telle pression sur les vigiles et les caissières que le magasin a fermé plusieurs jours. Un des jeunes du quartier est ensuite venu voir le patron pour lui dire qu'il devait changer de société de sécurité, qu'il avait sa propre boîte dans le quartier et qu'avec lui il n'aurait aucun problème.

— Pour avoir la paix, faut-il "donner à manger" au quartier ? Est-ce la seule recette ?

— Pendant six ans, les quartiers Nord d'Asnières ont fait l'objet d'une rénovation urbaine sans précédent, avec près de 200 millions d'euros injectés. On a rénové la voie et l'école, on a créé des équipements sportifs et une mairie annexe, changé la physionomie des lieux. Les gens ont trouvé ça très bien, mais n'ont pas manqué de dire que cela ne changeait pas leur quotidien, qu'ils continuaient à chercher du boulot, à avoir des problèmes de logement, ce qui ne relève pas des seules collectivités locales, mais aussi de l'État… J'ai eu de nombreuses discussions avec les jeunes, je me suis pas mal engueulé avec eux, d'autant que j'habite ces quartiers depuis plus de quinze ans. J'en ai eu un peu assez des discours victimaires. J'ai injecté de l'argent dans ces quartiers, mais il faut aussi un peu se battre dans la vie.

— Quel rapport de force s'instaure entre un maire qui veut exercer son pouvoir et les caïds, les chefs du trafic de stupéfiants ?

— Certains élus se disent qu'il est bon de s'appuyer sur le pire du pire et de recruter ceux qui sortent de prison. Ils se disent que le pire en question sera respecté, que les gens auront peur de lui, qu'il va faire flipper tout le monde et qu'on sera un peu tranquille dans le quartier. C'est un mauvais choix parce qu'il y aura toujours pire qui arrivera. C'est comme le trafic de drogue, il y a toujours quelqu'un pour reprendre le business quand une équipe est démantelée.

— Ces gros bras sont-ils susceptibles de servir lors des campagnes électorales, comme on voyait autrefois des voyous coller les affiches du parti gaulliste ?

— Au moment des campagnes, il peut effectivement y avoir une instrumentalisation des caïds, des gens qui comptent dans les quartiers, plus ou moins discrète, pouvant aller jusqu'à une présence sur les listes aux élections municipales. Il y a aussi ces jeunes à qui on promet une embauche s'ils collent des affiches. C'est une sorte de *deal*, mais c'est une vision à court terme aussi dangereuse pour la démocratie que pour l'image des politiques, d'autant que le taux d'abstention est extrêmement fort dans ces quartiers.

— Quand vous avez été élu maire, en 2008, la tendance en vogue était de tenir la police à distance des zones sensibles. Comment avez-vous abordé cette question ?

— Quand j'ai été élu, on m'a en effet expliqué que la police municipale avait pour consigne d'éviter certains quartiers le soir, par prudence. J'ai donné la consigne inverse et dit que la police municipale devait être partout et au service de tous les habitants. Côté police nationale, j'ai en même temps obtenu des renforts, la création d'une zone de sécurité prioritaire et d'une brigade spécialisée de terrain, avec laquelle un certain nombre d'habitants des quartiers Nord sont entrés en conflit.

« À l'approche du 14 Juillet, fort des incidents qui avaient émaillé cette fête les années précédentes, j'ai demandé à la police d'être présente sur le terrain dès la veille. L'affrontement a été terrible, j'ai même un commissaire qui a perdu un œil à cause d'un engin pyrotechnique. De vraies scènes de guérilla ! De nombreux élus se disent : "Ce quartier-là, tu l'oublies." Ils ferment les yeux pour éviter les violences, mais c'est mortifère. Cela donne un sentiment d'impunité. Quand on sait qu'il y a un trafic de drogue et qu'on n'agit pas, c'est ravageur. C'est dévastateur pour les familles, mais aussi pour l'élu que je suis. Je l'ai vu quand il a fallu demander au commissariat de tenir ses agents à l'écart d'un secteur pour laisser la police judiciaire investiguer tranquillement sur une équipe de trafiquants. Des dizaines d'habitants sont venus me voir pour me dire : "Vous savez qu'il y a un trafic et vous enlevez la police, vous vous foutez de nous ?" Je ne pouvais évidemment pas leur répondre qu'il y avait une enquête en cours…

— Peut-on faire campagne dans les quartiers difficiles sans "gardes du corps", sans faire allégeance à ceux qui "tiennent" le secteur ? Peut-on échapper à ce "clientélisme" à la française dont Marseille semble être l'incarnation la plus aboutie ?

— Le climat a cependant changé ces dernières années, non pas vis-à-vis de ma personne, mais vis-à-vis de la fonction d'élu. Il y a moins de respect pour les institutions et le maire est aussi une institution. "Nique ta maire le maire", c'est une belle rime et c'est tellement facile, tellement grossier aussi, que ça fuse parfois, mais je ne me suis jamais senti en insécurité physique dans les quartiers Nord d'Asnières, où j'ai fait toute ma scolarité. La difficulté, c'est que l'on se retrouve aujourd'hui sur le terrain face à ces consommateurs, à des clients, et qui dit "client" dit clientélisme : "je veux une place en crèche", "je veux un boulot", "je veux un logement". J'ai aussi entendu : "Moi je pèse dix voix, je pèse cent voix, je peux vous ramener cent personnes dans une réunion, mais il faut quand même que j'aie mon boulot." C'est une instrumentalisation directe du politique à des fins personnelles. C'est vrai dans ces quartiers, mais également avec les bobos, qui sont eux aussi dans une logique consumériste, "mon activité périscolaire de qualité pour mon gamin", "ma place à la crèche"...

— La reconquête de ces territoires "abandonnés" par la République est-elle possible ?

— Dans les années 1980 (j'avais 10 ans), les seringues traînaient dans les rues, ce n'est plus le cas aujourd'hui. Ça a été un ravage, beaucoup sont morts d'overdose. Le trafic est toujours là, mais il n'y a plus de camés dans les halls d'immeuble. Depuis le début des années 1990, avec la politique de la ville, on a mis beaucoup d'argent pour transformer le paysage des quartiers, mais ce n'était pas à la hauteur de l'enjeu. Après les émeutes de 2005, il y a eu une volonté d'affichage, mais finalement le gouvernement de l'époque a surtout œuvré pour remettre le couvercle sur la marmite et éviter l'explosion. On a fait de l'affichage, un peu de saupoudrage, puis on a serré les fesses en espérant que cela tienne jusqu'au gouvernement suivant. D'une certaine manière, on se refile la patate chaude. »

Chapitre 16

L'espion, l'homme de l'ombre, le procureur et le professeur de criminologie

Un homme de renseignement, un proche de Charles Pasqua qui pèse ses mots, c'est peu de le dire, un magistrat spécialiste du crime organisé et un expert en criminologie : tels sont les quatre personnages que nous avons sollicités pour compléter et nuancer le tableau.

Quatre « experts » dans leur domaine, à qui nous avons demandé de passer au crible les questions soulevées au fil des pages précédentes.

Ancien directeur adjoint de la DST, longtemps en charge de la lutte contre l'espionnage soviétique, Raymond Nart est désormais retraité. Il tient Fouché pour l'inventeur de la police moderne, mais surtout du renseignement à la française, lui qui disposait dans les salons parisiens d'indicateurs qui le tenaient au courant de l'état d'esprit de la population, tandis que Napoléon, qui l'avait nommé, traitait directement certains espions de haut vol, qui lui donnaient des informations sur les champs de bataille et l'état des troupes adverses. Le renseignement est-il compatible à ses yeux avec la justice ? Faut-il parfois fermer les yeux sur des activités illicites pour mieux ferrer le « poisson », à l'instar de ce que la police française a fait successivement avec les maisons closes, les hôtels de passe, et, plus tard, les cercles de jeux, en attendant les trafiquants de drogue, comme on l'a vu au fil de ces pages ?

« Nous l'avons toujours fait, mais ce n'est plus possible maintenant, assure Raymond Nart. Nous passions l'éponge sur un certain nombre de choses pour mieux infiltrer un réseau. On laissait courir le type, on se débrouillait sans qu'aucun magistrat y ait jamais trouvé à redire. Il y a trente-six manières de procéder, je vous donne un exemple : on faisait une rafle, on embarquait pas mal de monde, puis on se débrouillait pour faire sortir un des types de prison. C'est une façon efficace et discrète de recruter des agents. Les Allemands l'ont beaucoup fait pendant l'Occupation. Ils arrêtaient des résistants, puis les relâchaient sous conditions. Cela s'est également pratiqué pendant la guerre d'Algérie. Une fois dans la nature, évidemment, les gens font à peu près ce qu'ils veulent. On les contrôle très peu, parfois même ce sont eux qui nous manipulent, je pense notamment à l'affaire Farewell, que j'ai traitée au début des années 1980 à la DST. Vladimir Vetrov, alias "Farewell", était notre taupe au sein du KGB. Quand on a voulu lui imposer un certain nombre de contraintes, de directives, notamment pour sa mise en sécurité, il nous a renvoyés dans nos buts, si j'ose dire, tout en nous disant : "Ma sécurité, c'est moi qui m'en charge." Il a été notre plus grande source de renseignement au sein du bloc soviétique, mais il faisait ce qu'il voulait. C'est lui qui disait : "Vous faites ceci, vous faites cela." On croit manipuler quelqu'un, mais en fait on ne manipule rien. Heureusement qu'il y a aussi les bons patriotes, ceux qui viennent taper à la porte pour vous dire ce qu'ils ont vu ou ce qu'ils savent... »

— Les règles d'un service de renseignement changent-elles en période de crise, voire de guerre ?

— En période de crise, la pression gouvernementale sur les services de police est plus forte, parce que l'on veut du résultat, si possible immédiat, analyse Raymond Nart, un ancien encore très respecté dans les rangs de la Direction générale de la sécurité intérieure, qui a avalé la DST et les RG. Sauf que, pour recruter des sources, il faut du temps. Il faut éprouver les gens, recouper les renseignements. Le temps politique n'est pas le temps policier. La pression du gouvernement fait que vous êtes parfois obligé de vous affranchir de certaines règles, du moins de faire montre d'une agressivité plus importante. »

L'ancien contre-espion s'est longuement penché sur le cas de Paul Émile Soubiran, un espion de l'époque napoléonienne dont le parcours et les méthodes sont assez emblématiques de ce que l'on peut faire dans ce domaine. L'homme a vécu toute sa jeunesse en Gascogne, dans la petite ville de Lectoure, où il a joué un rôle important pendant la Révolution.

« Les Gascons n'étaient pas tous des révolutionnaires avec le couteau entre les dents, tant s'en faut, mais Soubiran était un homme sans foi ni loi, raconte Raymond Nart. Il avait reçu une bonne éducation, il écrivait fort bien, parlait plusieurs langues et avait une belle prestance, mais il avait une moralité plus que douteuse. Il ne s'est pas engagé dans l'armée, car il n'était pas fait pour ça. Il vivait aux crochets de femmes qu'il choisissait très riches. Il a suivi les troupes de Bonaparte en Italie, avec une de ses compagnes, de nationalité hollandaise. Il créait des maisons de jeux et multipliait les escroqueries. » Tiens, tiens…

« Un jour, pendant la campagne d'Espagne, dans les années 1807-1808, Soubiran demande un poste de colonel dans l'armée. Il s'illustre à nouveau par un certain nombre de pillages. Chassé de l'armée, il se met au service des Anglais, puis des Espagnols, jusqu'au moment où Fouché le recrute comme agent, intéressé par la position qui est la sienne à Hambourg. Il le maîtrise d'autant moins qu'il est loin et que les liaisons sont compliquées. L'intenable Soubiran devient d'ailleurs ensuite un agent de Louis XVII contre Napoléon, puis de tous les rois qui se sont succédé jusqu'à sa propre mort, en 1845. Entre-temps, il aura trahi tout le monde.

« Le problème – et l'avantage – d'un tel personnage, c'est sa moralité, dit Raymond Nart. Vous pouvez lui faire faire n'importe quoi, mais vous n'êtes pas sûr de le contrôler, d'autant qu'il circulait beaucoup, parlant l'anglais, le hollandais, l'espagnol, le portugais. Avec un comparse irlandais, il a même escroqué un président des États-Unis en lui faisant croire que des résidents anglais allaient lui créer des soucis dans un coin du pays... Cet homme était un modèle du genre. J'ai retrouvé certaines de ses caractéristiques dans la personne de Joanovici, un ferrailleur milliardaire qui a fait fortune en travaillant pour la Gestapo, pendant l'Occupation. Lui aussi travaillait pour tout le monde, jusqu'à sa condamnation, après la Libération. Il y a des gens qui sont plus prédisposés à oublier les valeurs essentielles et à mettre leur patriotisme dans la poche. »

La DST aurait-elle recruté des personnages ayant un profil semblable à ces figures légendaires ?

« C'est un fait, admet l'ancien numéro deux du service, il y avait parmi nos informateurs des gens pas toujours très recommandables. Je me souviens notamment que nous avions recruté un homme d'origine roumaine, bien placé dans les milieux de l'Est, qui était officiellement imprimeur, mais avait un autre visage, puisque c'était un pickpocket de première grandeur. Un jour, à Noël, il m'avait offert un portefeuille en cuir qui, manifestement, provenait d'un vol. On n'a pas toujours affaire à des gens purs comme du cristal. J'ai aussi traité avec un trafiquant d'armes, un personnage de sac et de corde qui avait mené une série d'opérations pendant la guerre d'Algérie : il achetait des armes pour le FLN, sauf que les bateaux explosaient en route. Soucieux de travailler pour les intérêts français, il nous a un jour parlé d'une livraison d'armes à destination d'Irlandais. On lui a recommandé de ne pas l'effectuer, alors qu'on l'a, en revanche, incité à vendre des lunettes de visée nocturne aux Libyens, qu'il avait au passage escroqués. “Ils vont vous tuer”, lui avais-je dit, et cela l'avait fait beaucoup rire. »

La guerre d'Algérie a aussi été le théâtre de nombreuses opérations d'espionnage.

« La DST est parvenue à faire monter en grade plusieurs personnages au sein du FLN, jusqu'à un niveau central, se souvient Raymond Nart, qui conserve aussi en mémoire l'épisode des postes de radio piégés qui explosaient au cours d'une réunion, comme celui qui a tué le chef de la rébellion dans les Aurès, Ben Boulaïd Mostefa. Le service savait que cet homme était un maniaque de la radio, qu'il écoutait régulièrement les bulletins de Radio Alger, dit-il. Ayant repéré la zone où il circulait, le SDECE a parachuté des colis contenant des lettres adressées à des militaires et des sacs de riz, sauf que l'un des largages a été "raté" : le matériel est tombé dans une zone contrôlée par le chef des rebelles, lequel a tout centralisé chez lui, y compris cette radio piégée. Toute la maison a sauté quand il a mis les piles à l'intérieur. »

L'ancien commissaire a forcément croisé le chemin de ces officines qui ont grandi dans le giron du parti gaulliste, et le moins que l'on puisse dire est qu'elles ne sont pas ses amies.

« Sur le plan éthique, je trouve ces polices parallèles détestables, dit-il. Chaque fois que j'ai vu intervenir ces personnes mandatées par des politiques, par exemple lors des négociations pour obtenir la libération d'otages français au Moyen-Orient, cela a été pour nous une gêne considérable. Pourquoi laisser les services officiels de côté ? Parce qu'ils ne leur font pas confiance ? C'est mon hypothèse. »

Dont acte.

***

Ancien bras droit de Charles Pasqua, dont il était le conseiller spécial au ministère de l'Intérieur, Daniel Léandri est le prototype même de l'homme de l'ombre.

Son nom est connu de tous ceux qui ont travaillé sur les réseaux de celui qui ne voulait pas que l'on dise qu'il avait cofondé le SAC. Sa parole est rare, ses aveux inexistants à ce jour, mais son parcours est une sorte de modèle du genre.

Né au village, en Corse-du-Sud, en 1943, fils d'un agriculteur devenu adjudant-chef au régiment des tirailleurs algériens et d'une mère au foyer, il a grandi en Tunisie jusqu'à 8 ans, avant de revenir au lycée à Sartène. Après des études secondaires à Marseille, il monte à Paris en 1966 pour entrer à la préfecture de police. Affecté à Clichy-la-Garenne, il passe le concours de secrétaire d'état-major au bout de six ans, avant d'être reçu trois ans plus tard au concours de brigadier de police. En 1974, il est subitement mis en position de détachement sur intervention de Jacques Foccart (le Monsieur Afrique du général de Gaulle), pour une « mission de sécurité » en Afrique.

« C'était très vague, cela voulait dire beaucoup de choses..., souffle-t-il dans la chaleur d'une journée d'été, alors que nous bavardons sur une terrasse surplombant la vallée. À partir de cette date, j'ai beaucoup travaillé pour Charles Pasqua en dehors de mes horaires de service. Je l'ai suivi lors de ses deux passages au ministère de l'Intérieur, en 1986, puis en 1993. »

Comment se retrouve-t-on sur le chemin d'un homme de l'envergure d'un Jacques Foccart alors que l'on a rang de simple brigadier ? C'est l'un des responsables du mouvement gaulliste, André Pittion-Roussillon, qui l'aurait conduit auprès de lui.

« Je pense qu'il m'a apprécié, glisse-t-il modestement, mais j'ai surtout servi Charles Pasqua, avec qui le courant est passé tout de suite. Il m'a fait confiance rapidement et nous avons cheminé ensemble durant quelques décennies. Le fait que je sois corse nous a certainement rapprochés, on se parlait régulièrement en langue corse. Il a aussi vu que j'étais très disponible au quotidien, que je pouvais travailler le jour, la nuit, le samedi, le dimanche. J'étais toujours sur le terrain, dans le mouvement. On a travaillé pour Chirac, jusqu'à ce qu'il prenne le parti, l'UDR, en 1976. C'est moi qui organisais tous les déplacements en France continentale, outre-mer et en Afrique, sur le plan sécuritaire. »

Qu'est-ce que Charles Pasqua a trouvé en lui?

«Il a dû apprécier ma discrétion et mon sérieux, tranche Daniel Léandri. Je n'étais pas quelqu'un qui allait raconter sa vie à droite, à gauche. J'étais aux ordres, je faisais ce qu'il demandait [silence].

— Charles Pasqua vous considérait-il comme un fidèle, comme un membre de la famille gaulliste?

— Toute ma famille était gaulliste. Mon grand-père, qui a fait la guerre de 1914-1918, mon père, mes oncles, pour moi c'était donc tout naturel. Je n'ai jamais eu la carte d'aucun parti, mais j'étais gaulliste par tradition. Un jour, Charles Pasqua m'a dédicacé une de ses photos. Il a marqué : "À Daniel Léandri, mon fidèle compagnon, avec toute mon amitié.» Je le répète, il appréciait ma discrétion, d'ailleurs encore aujourd'hui je ne dirai rien de ce que lui n'a pas dit. Il y a des gens qui écrivent, moi je ne cherche pas la publicité, au contraire, je la fuis.

— Comment Charles Pasqua réagissait-il lorsqu'il était attaqué publiquement, ce qui arrivait souvent?

— Un jour, ce devait être en 1977, alors que nous étions avec Pierre Juillet et Marie-France Garaud [deux proches conseillers de l'Élysée à l'époque], et que

Charles Pasqua était à nouveau attaqué dans les journaux, Pierre lui dit : "Charles, ne vous inquiétez pas, dans la vie on n'attaque que les gens forts." Et Charles Pasqua lui a répondu : "Pierre, mais je ne m'inquiète pas, quand on ne représente rien, personne ne parle de vous."

— Est-ce que le fait d'être corse vous aidait dans vos relations avec les Africains ?

— Avec les Africains, les contacts personnels sont très importants. Si vous n'avez pas ce contact personnel, c'est vraiment passager. Si vous l'avez, c'est durable. Il y a des gens que je connais depuis quarante ans, ils savent que je ne vais pas aller raconter leur vie. Comme nous en Corse, ils disent : "On va au village." Ce sont aussi des gens d'une grande fidélité. Comme nous [silence].

— Quel genre de missions meniez-vous ?

— Je suis allé dans tous les pays d'Afrique centrale et d'Afrique de l'Ouest, en Algérie, où je suis le dernier à avoir vu le président Boudiaf, la veille de son assassinat, en 1992, à Annaba. Je lui ai remis un livre dédicacé de Charles Pasqua, au palais présidentiel, où il m'a reçu en tête à tête pendant quarante-cinq minutes. Je garde aussi un grand souvenir de ce voyage au Togo, la même année, où Charles Pasqua a été très applaudi quand il a déclaré que chaque pays avait son rythme, qu'on ne pouvait aller vers la démocratie comme ça du jour au lendemain, en galopant, sinon "ça allait être la révolution". On l'appelait "Pasqua l'Africain", tellement il était apprécié. Il les comprenait, recevait tous les ministres qui passaient par Paris et essayait de les aider, même quand il était ministre de l'Intérieur. C'était l'ami de l'Afrique.

— À quand remonte la présence corse en Afrique?

— Cela a commencé avec tous ces gouverneurs d'origine corse au temps de la colonie. Ensuite il y a eu énormément de fonctionnaires qui sont allés là-bas, enseignants, policiers, douaniers, beaucoup de militaires, jusqu'aux indépendances… Les Africains ont un peu notre mentalité, la famille, la tradition, les racines villageoises, on se comprend, le courant passe bien. Des Corses ont fondé des entreprises dans le transport, le tourisme, puis plus tard dans le jeu, de façon plus marginale, même si les gens ont bien gagné leur vie. Il y a aussi eu de grands ambassadeurs, comme Louis Dominici, qui était très apprécié parce qu'il avait un contact direct et inestimable avec le président du Gabon, Omar Bongo. Entre lui et le président, la confiance était totale.

— L'argent africain, l'argent des chefs d'État africains est supposé avoir longtemps irrigué les partis politiques français. Qu'en pensez-vous ?

— Cela s'est beaucoup dit, effectivement, mais personnellement je ne m'occupais pas de ce genre d'activités. Je m'occupais surtout des échanges d'informations concernant la France. Chacun son métier. Je pense qu'il devait y avoir des circuits parce que vous prenez quand même un sacré risque en débarquant à Roissy avec une mallette ou une valise... Que vous ayez une carte tricolore ou pas, un douanier peut vous contrôler, il fait son travail [silence].

— Quel était le rapport de Charles Pasqua avec la Corse ?

— Charles Pasqua était né à Grasse, mais il était très attaché à la Corse. Ce n'était pas sa priorité quand il était ministre de l'Intérieur, mais il avait une vraie mentalité de Corse. Un jour de 1993, nous sommes montés dans son village de Casevecchie pour inaugurer la mairie, en présence de toute sa famille et de nombreux amis...

— Notre enquête nous a conduit à croiser plusieurs fois le chemin de la famille Tomi, dont l'un des héritiers a fait fortune dans les jeux en Afrique, un homme un temps considéré par la police judiciaire comme le "dernier parrain corse", sans preuves. Quels étaient les liens des Tomi avec Charles Pasqua ?

— Charles Pasqua avait de l'amitié pour la famille Tomi, oui [silence].

Lorsque Charles Pasqua devient ministre de l'Intérieur, entre 1986 et 1988, Daniel Léandri occupe un bureau au premier étage de la place Beauvau. Entre 1993 et 1995, il est au rez-de-chaussée, plus près du ministre. Il reçoit beaucoup de monde, « rendez-vous ou pas rendez-vous ». Policiers, commissaires, préfets, ils tapent à sa porte pour bavarder. « J'étais à l'écoute, je prenais la température et rendais compte, assure le policier. Les gens savaient que le message allait passer, mais je n'écrivais pas. Écrire, c'est long. On perd du temps. Je rendais compte oralement, mais toujours très fidèlement. Il n'y avait aucun loupé. » Il est les yeux et les oreilles de Charles Pasqua, pour lequel il collecte petits et grands secrets. Il reçoit même des élus, dont pas mal sont corses, notamment entre 1993 et 1995, une époque où Charles Pasqua « a beaucoup aidé la Corse, que ce soit les agriculteurs ou la collectivité territoriale, qui ont reçu des financements comme ils n'en ont jamais eus, au point qu'ils n'avaient pas assez de projets pour les absorber ». Mieux informé que quiconque, il voit passer sous ses yeux toutes les notes des services, notamment les « blancs » des Renseignements généraux, dont il se souvient qu'il fallait « en prendre et en laisser » !

On connaît la réponse, mais on lui pose tout de même la question : quelle était la relation de Charles Pasqua avec l'État de droit ?

« Je trouve qu'il était plutôt strict. C'était un jacobin », lâche Daniel Léandri avec un dernier silence que recouvrent les bruits lointains en provenance du maquis alentour, peuplé de sangliers, mais surtout d'histoires de valeureux résistants qui prirent les armes contre l'occupant. Il est temps de passer aux choses sérieuses, non que celles qui viennent d'être évoquées ne le soient pas, mais ces charcuteries insulaires dont Charles Pasqua aimait à régaler ses hôtes place Beauvau peuvent mettre du liant dans les relations sociales...

***

Jacques Dallest a été procureur de la République en Corse de la fin 1996 au mois d'août 2001, puis à Bordeaux jusqu'à sa nomination à Marseille, en mai 2008, où il est resté jusqu'en juillet 2013, date de sa promotion comme procureur général à Annecy. Pour l'avoir combattue durant une bonne partie de sa carrière, il connaît bien l'histoire et les ambitions de la criminalité corso-marseillaise, matrice du milieu à la française.

« Le crime organisé corse est un crime ancien, très ancré dans la vie des villages, la vie insulaire, sur fond d'affrontements entre clans, de guerres entre nationalistes aussi, avec quelques figures emblématiques, quelques parrains, un lien avec la diaspora corse dans le monde entier et une forte implantation à Paris, dans le monde du jeu, résume-t-il.

« La Corse est un lieu de proximité, une île relativement petite, avec une faible population, trois cent vingt mille habitants et une culture de villages. Tout le monde se connaissant, des liens se tissent entre le banditisme, la politique locale, l'affairisme, le nationalisme. Tout cela est très poreux, avec des phénomènes d'interdépendance qui s'expliquent aussi par la difficulté de l'autorité publique, l'État, à lutter contre ces dérives. Il est toujours difficile de savoir à qui on a affaire en Corse. Est-ce un mafieux, un malfaiteur professionnel, est-ce un individu qui a des connexions dangereuses avec le monde de la politique ? Ce chef d'entreprise est-il en lien avec le banditisme, est-il issu du banditisme ? Tout cela n'est pas toujours simple à décoder, c'est d'ailleurs très évolutif, en fonction de la proéminence de certains individus qui sont exécutés à un moment ou à un autre, avec un milieu qui se recompose sans cesse. Le fils ou les fils reprennent le flambeau, dès qu'une tête est coupée, une autre réapparaît...

« La difficulté que nous avons, nous, gens de justice et policiers, c'est de faire la part entre la rumeur, le fantasme et la réalité tangible, mais les liens entre le monde politique et les voyous sont évidents. Ce sont des liens de famille, de village, on est allés à l'école ensemble, on peut être flic ou voyou, ou avocat, au point qu'il est parfois difficile de discerner le clan des voyous du clan des gens honorables. Le même individu qui va vous jurer sa volonté de légalité peut, la nuit, porter la cagoule et être impliqué dans un clan de malfaiteurs, ce qui rend le travail assez complexe sur cette île de Beauté, par ailleurs très attachante.

— D'où vient la force de cette criminalité corse? Comment s'est-elle développée depuis la guerre?

— Il y a une figure un peu mythifiée du bandit corse prenant le maquis, luttant contre les gendarmes et contre l'État, faisant valoir une identité corse, une indépendance d'esprit. Des équipes se sont constituées avant-guerre à Marseille, où il y avait matière à enrichissement plus que sur l'île. Puis elles se sont affrontées, comme toujours dans ce banditisme qui a tendance à s'autodétruire. Un clan en affronte un autre, un lieutenant s'émancipe et va abattre son chef. L'apparition de la drogue a amplifié le mouvement, avec cette spécificité du chimiste corse, expert dans la transformation de la morphine en héroïne, très recherchée à l'époque par les malfaiteurs américains, notamment ceux de Cosa Nostra.

« On a vu émerger de nouvelles figures, comme celle de Jean-Jé Colonna, aujourd'hui disparu, chacun ayant son implantation locale, avec un certain nombre de règlements de comptes. Le tout complexifié par les rivalités entre nationalistes, notamment entre le MPA, le FLNC Canal habituel et Canal historique, le tout comptant des dizaines de morts et des liens forts avec le banditisme, à travers le racket, l'extorsion, les trafics, les vols à main armée. Une histoire qui s'est cristallisée autour de Bastia, avec la fameuse bande de la Brise de mer. Et qui dit braquages dit butin, répartition de l'argent, querelles, et l'histoire s'est à nouveau terminée dans le sang. Je pense notamment à Richard Casanova, qui était un homme très puissant et qui a fini par être abattu après avoir eu l'intelligence de commettre un certain nombre de ses forfaits à l'étranger, loin des radars de la police française, ce qui lui a permis de durer plus longtemps.

« Ce n'est malheureusement souvent que bien plus tard que l'on a les clefs des énigmes, quand tout le monde est mort… L'élimination de Richard Casanova a entraîné des affrontements meurtriers entre les membres de la Brise de mer parce que votre pire ennemi, dans ce milieu, c'est souvent votre ami. Dans le même temps, au sud de l'île, la mort accidentelle de Jean-Jé Colonna a entraîné l'émergence de la bande du "Petit bar", et de nouveaux crimes de sang dans la foulée.

« Ce qui est intéressant, cependant, si l'on veut percevoir les articulations entre les groupes criminels et leur implantation, c'est de considérer l'axe Paris-Marseille-Corse, sachant que l'île est plutôt la base arrière de repli, le lieu familial plus que le lieu d'agissements criminels, même si c'est aussi l'endroit où l'on exécute, parce qu'à un moment on baisse la garde. Ils savent d'ailleurs que la mort plane, qu'ils ne pourront pas toujours être sur le qui-vive et qu'ils se feront peut-être abattre en rentrant chez eux...

— L'avenir du crime organisé corso-marseillais passe-t-il par les affaires, comme on l'a entrevu à travers plusieurs enquêtes judiciaires récentes ?

— On est passé du banditisme des années 1980, avec des attaques à main armée spectaculaires, lourdes, du proxénétisme de rue, un banditisme violent et un peu archaïque, à une criminalité plus occulte mais très rémunératrice. Les malfaiteurs professionnels ont compris qu'ils pouvaient toujours se faire de l'argent dans les gros trafics de drogue, notamment la cocaïne, mais qu'ils pouvaient s'enrichir davantage dans les escroqueries, les marchés publics ou la contrefaçon, pénalement moins sanctionnés que les vols à main armée, et qui vous mettent en relation avec des individus qui ne sont pas issus du banditisme, informaticiens, hommes d'affaires, banquiers. Ils ont des connexions avec des gens qui ont pignon sur rue, possèdent des entreprises, ils ont aussi compris que leur moins grande visibilité était un gage de pérennité, obligeant la justice à revoir son approche. Ils recourent plus qu'autrefois à des prête-noms pour recycler l'argent sale, ce qui augmente la perméabilité entre banditisme et délinquance en col blanc. Ils ne vont pas dédaigner de temps en temps une attaque de fourgon qui peut rapporter du cash, mais ils vont s'impliquer dans tous les domaines, notamment la commande publique, qui touche au fondement de la vie démocratique. Et là, c'est très dangereux, parce que c'est un peu le début de la "mafiaïsation", en l'occurrence un banditisme qui pénètre le monde économique.

«Il y a à ce sujet un point commun entre la Corse et Marseille, ce sont les marchés publics autour des ports, des lieux qui peuvent dégager des sources financières importantes. Ce n'est pas facile pour la justice de savoir exactement qui tire les ficelles. Vous avez les personnes officielles, élues, chargées de la passation des marchés, les fonctionnaires territoriaux qui mettent en musique, et vous avez derrière, de façon moins transparente, des gens qui sont intéressés financièrement. La difficulté, c'est de mettre en évidence ces liaisons dangereuses que l'on peut subodorer, ce qui suppose un contrôle de légalité très attentif à ces montages. Quels sont les vrais commanditaires ? Y a-t-il eu des intimidations pour évincer des candidats ? Ce travail d'inspection prend malheureusement du temps, surtout lorsqu'on intervient après coup.

« D'habitude les malfaiteurs ont cependant une faiblesse, c'est le besoin de profiter de leur argent. Ils savent leur espérance de vie limitée et vont vouloir mener grand train, bateaux, soirées, loisirs, or la loi permet de leur demander des comptes pour non-justification de ressources. Ce n'est pas simple à démontrer, surtout si celui qui est le vrai propriétaire du bateau ou de la voiture ne se plaint pas de racket, ni d'une quelconque intimidation. Il y a tout un travail financier à effectuer et, s'ils sont malins, leur arrière-salle n'est pas en France, elle est dans certains pays où il sera difficile d'investiguer : en Russie, en Afrique, en Amérique du Sud. C'est le cas d'un certain nombre de trafiquants de drogue de cités, qui vivent chez leurs parents en France, mais ont de l'argent et de l'immobilier au pays. C'est une autre limite de la justice.

— Quelles sont les valeurs, au sens propre et au figuré, que peuvent partager des malfaiteurs et des corrompus ?

— L'élément fédérateur entre la criminalité organisée et certains personnages corrompus, c'est l'argent, qui vous donne du pouvoir, de la puissance : plus il est abondant, plus l'argent fait céder les barrières morales. Ce sont aussi des lieux de luxe et de détente, où le malfaiteur est un homme comme les autres. La philosophie du gangster, ce n'est pas de contester l'État, mais, au contraire, de profiter de ses structures. Il vit à court terme, à cent kilomètres à l'heure, et il a besoin de personnes qui vont l'aider, qu'il va peut-être arroser, à qui il fera bénéficier de certains avantages, des “people”, des hommes politiques. Cela s'est vu dans les années 1970, mais ces liaisons dangereuses sont plus cachées aujourd'hui.

« La décentralisation, l'autonomie accrue des collectivités territoriales ont cependant donné de nouvelles marges de manœuvre aux élus locaux qui pourraient être tentés de s'appuyer sur des personnages qui vont les aider pour une campagne électorale, pour recruter des colleurs d'affiches ou des gros bras… On n'est pas loin de cette forme de clientélisme, où, pour se faire élire, on s'appuie sur des personnages pas forcément recommandables qui peuvent vous attirer des ennuis. On a besoin d'eux, mais ils exigeront un renvoi d'ascenseur, en demandant par exemple de l'argent pour une association bidon ou le recrutement d'untel, avec au final un coût pour le contribuable. Pour se défendre, on dira que c'était pour favoriser l'emploi local, j'ai entendu cet argument en Corse, mais c'est au détriment des règles d'égalité devant un marché public.

— Le clientélisme a-t-il un visage spécifique à Marseille ?

— Le mot clientélisme n'est pas forcément malsain, même s'il a une connotation très péjorative aujourd'hui. La clientèle est un terme qui remonte à Rome où le patricien avait ses clients, ses fidèles. Il est normal que l'homme politique mène sa campagne électorale, sensibilise, cherche des adhérents, le danger vient quand il emprunte des voies illégales, notamment à travers l'argent public, je pense surtout aux emplois fictifs, le fait de salarier des gens qui ne travaillent pas.

« Le Code pénal parle de probité, un terme fort. L'élu doit être compétent et intègre, sinon on n'est plus en démocratie. On a vu ce genre de phénomène à Marseille, mais aussi à Angoulême, Nice, Grenoble, avec des échanges de bons procédés qui tombent vite sous le coup de la loi, laquelle, d'ailleurs, n'est pas faite par les magistrats mais par les parlementaires. La grande pauvreté qui règne dans les quartiers Nord de Marseille pèse forcément dans la balance, c'est d'ailleurs un point commun avec la Corse, une île relativement pauvre où se développent des pratiques que l'on voit moins sur les territoires plus riches... Il est parfois difficile pour un élu local de résister à la tentation, mais au bout de cette dérive il tombe sous le coup de la loi, parfois à sa grande surprise. Cela s'appelle pourtant trafic d'influence, détournement de fonds publics, corruption...

— Il y a eu une autre tentation, pas forcément incompatible avec ce clientélisme, celle qui a consisté à abandonner les clefs de certains territoires à des caïds patentés en échange de la paix sociale. Avez-vous été confronté à ce phénomène ?

— À Marseille, j'ai été confronté à une flambée des règlements de comptes dans les cités, notamment dans ces quartiers Nord qui rassemblent près de la moitié de la population marseillaise. Parfois, l'idée a germé qu'ils s'entretuaient et qu'on n'avait pas à s'en occuper, du moins tant qu'il n'y avait pas de dommages collatéraux. J'ai noté que le règlement de comptes qui se produisait à 23 heures au pied d'une cité ne choquait pas grand monde, si ce n'est les habitants et les proches, alors que les mêmes faits, à 16 heures, dans un quartier passant suscitaient la réprobation, parce que les gens s'identifiaient davantage. Le jour où un gamin de 16 ans a été assassiné et un autre de 11 ans blessé, cela a suscité un grand émoi et même une réaction gouvernementale... J'ai toujours essayé de ne pas tomber dans ce piège. Je crois que les enquêteurs doivent travailler avec la même énergie sur ces crimes que sur le meurtre d'un commerçant ou d'un avocat, d'autant que les victimes ne sont pas toujours des malfaiteurs patentés, juste des jeunes qui avaient un rôle de rabatteur, de guetteur, qui cherchaient de l'argent facile. Banaliser ces faits, c'est perdre ses repères. J'ai d'ailleurs été interpellé plusieurs fois par des citoyens de ces quartiers venus me demander si on allait laisser leurs enfants s'entretuer et la loi de la jungle s'instaurer. Je leur ai demandé de nous aider et j'ai obtenu de précieux témoignages, sous X, comme la loi le permettait.

« Ce que l'on sait, en revanche, c'est que la drogue est plus forte que nous. On peut mener une action extrêmement résolue, et Dieu sait si l'on a arrêté des trafiquants, saisi des tonnes et des tonnes de cannabis, mais la demande est présente et l'offre tellement abondante... La difficulté, c'est d'arriver à mener un combat durable. On porte des coups forts, on met hors d'état de nuire des malfaiteurs, mais d'autres prennent la relève et le drame d'une ville comme Marseille, c'est que le renouvellement des équipes de malfaiteurs est permanent. Un jeune est interpellé, un autre prend la place, quel que soit le risque physique couru...

— Y a-t-il parfois des relations périlleuses entre les représentants de l'État et ces jeunes trafiquants ?

— Le travail de la police dans les cités marseillaises, comme dans celles de Seine-Saint-Denis, est difficile et dangereux. La tentation est beaucoup plus forte, c'est physiquement éprouvant, il y a une vraie prise de risque, des coups de feu peuvent partir, l'argent liquide circule, il faut donc une grande probité chez les agents et de forts mécanismes de contrôle... Sur le terrain, j'ai d'ailleurs plutôt vu des gens d'une grande qualité, d'un grand courage, mais dans le milieu policier, les dérives font tache d'huile. Un maillon faible se laisse corrompre, puis vous avez deux, trois, quatre personnes qui sont touchées. C'est pour cela que la hiérarchie doit être attentive, même vis-à-vis de ceux qui font de belles affaires, ces chasseurs qui peuvent être tentés de basculer. Aux chefs de service qui me rendaient visite à Marseille, je disais qu'il ne faut rien laisser passer, parce que si on accepte des compromissions, un jour ou l'autre cela vous attire des ennuis. Vous pouvez y laisser votre peau professionnelle, car, ce jour-là, c'est chacun pour soi.

— Qu'est-ce qui s'est joué avec l'élimination de Farid Berrahma, malfaiteur issu des cités, à Marseille, en avril 2006 ?

— D'origine maghrébine, Farid Berrahma est mort d'avoir marché sur les plates-bandes du banditisme corso-marseillais. En voulant grossir et sortir des quartiers pour s'impliquer dans les machines à sous, premier terreau du banditisme, il a commis l'irréparable. Depuis, personne n'a tenté de s'aventurer sur le même terrain. Même s'il peut y avoir des liens entre quelques délinquants de cité qui ont pris du muscle et quelques gros voyous, je pense notamment à l'importation de produits stupéfiants, ce sont deux mondes. Le trafic de haschich et de cocaïne est suffisamment rémunérateur pour qu'ils n'aient pas besoin de se mettre dans le racket ou les machines à sous. J'ai vu des immeubles à Marseille où il y avait jusqu'à cinquante mille euros de bénéfices par jour, ce qui explique la violence qui frappe celui qui arnaque, qui "carotte", comme on dit, qui se positionne où il ne devrait pas. C'est d'ailleurs le point commun entre le grand banditisme et la criminalité de cité : l'exécution à l'arme lourde en cas d'entorse au code de fonctionnement.

— Comment jugez-vous la façon dont est menée la lutte contre le trafic de drogue? Les résultats sont-ils à la hauteur de l'énergie dépensée par les services de l'État?

— La drogue arrive tous azimuts, depuis le Maghreb, l'Amérique du Sud ou les Balkans, les mêmes circuits pouvant être utilisés pour transporter des armes. C'est une lutte permanente et jamais terminée, on le sait tous. Il y a longtemps que je dis qu'on ne pourra jamais éradiquer le trafic de stupéfiants, tout ce qu'on peut faire, et on doit le faire, c'est mener une action résolue pour le limiter au minimum. Ce qui est important, c'est que l'on mène en même temps une action pour éviter que des jeunes ne tombent dans la drogue, parce que, derrière, il y a des affrontements, parce que la drogue n'est pas un milieu de Bisounours, on peut se faire tuer même pour de petites sommes. Alors que dans le monde du banditisme, des braqueurs, il y a une forme de loi, de solidarité, dans celui des trafiquants il n'y a pas d'amitié, pas de sympathie… C'est donc un combat qu'il faut continuer à mener avec les armes du droit, avec notamment la saisie des avoirs criminels, seule façon de faire du mal aux trafiquants. Et cela même si c'est une guerre dans laquelle on n'a pas complètement la main, puisque les zones de production nous échappent, que ce soit le Rif marocain, les champs de coca en Amérique du Sud ou le pavot en Afghanistan…

— À plusieurs reprises, au cours des cinquante dernières années, des représentants de l'État ont considéré comme nécessaire de contourner les lois pour lutter contre le crime. Quel commentaire cela inspire-t-il au magistrat que vous êtes ?

— Dans un moment de tension, on peut s'affranchir des règles de droit, mais pour une démocratie, c'est aussi irrecevable que dangereux sur le long terme. Cela peut marcher, mais ensuite ça vous éclate à la figure, on judiciarise et l'État est sommé de s'expliquer, car il ne faut pas attendre des magistrats qu'ils cautionnent ce genre de choses ou jettent un voile pudique sur ces pratiques. On pense parfois qu'avec un bon mobile on devrait être exonéré de poursuites, ce serait trop facile. Il n'y aurait plus de lois. Chacun mettrait en avant ses convictions personnelles : "je suis écolo, je fais ça", "je suis un défenseur de la religion catholique, je fais ça". On peut moduler la sanction, mais la loi doit s'appliquer, c'est le fondement de la démocratie.

***

C'est peu dire qu'Alain Bauer, auteur de nombreux ouvrages sur le sujet, est un spécialiste des phénomènes criminels et mafieux. Son expertise est régulièrement sollicitée sur les plateaux de télévision. Ce professeur de criminologie va revisiter avec nous tous les sujets traités par nos interlocuteurs, de la Carlingue aux « grands frères », en passant par Marseille, la mondaine et le renseignement à la française.

« On peut trouver des dizaines d'exemples où voyous et police politique travaillent ensemble, comme en Argentine ou au Chili à l'époque des dictatures, mais le niveau d'industrialisation, de violence, de torture et d'organisation atteint pendant l'Occupation est rarissime, confirme notre interlocuteur, avant de citer le film qui incarne à ses yeux le mieux ces accointances : *Z*, réalisé en 1969 par le cinéaste Costa-Gavras, qui retrace en Grèce l'assassinat d'un député d'opposition par des voyous manipulés par la gendarmerie grecque à la veille du coup d'État militaire.

« Quand on veut conquérir un territoire, on utilise les forces disponibles sur ce territoire et, en général, on est assez peu regardant, poursuit-il, avant de suggérer de revoir un autre film, cette fois tourné en France : *Borsalino*, dont il aime à dire que c'est plus un documentaire qu'une fiction.

« Le charme des criminels, c'est qu'ils sont intelligents, violents, qu'ils savent s'organiser, qu'ils peuvent obéir à des instructions, observe encore Alain Bauer pour camper le décor. L'individu criminel est souvent un gang ou une bande, c'est assez rare qu'il soit seul, et même quand on est seul on peut avoir des spécificités. Perceur de coffres-forts, cela peut être utile autant à un service de renseignement qu'à une bande organisée qui préfère les diamantaires. On a beaucoup de compétences dans le milieu criminel et ces compétences servent quand on n'a pas l'équivalent chez les gens honnêtes, et puis il y a parfois des criminels avec une conscience patriotique… Les choses sont rarement comme on les imagine, tous les honnêtes gens ne sont pas des résistants et tous les criminels ne sont pas des collabos ! Qu'est-ce qui fait la différence entre un corsaire et un pirate ? La lettre de course, d'ailleurs, les uns et les autres étaient toujours sur le même bateau, avec le même capitaine, qui pouvait être poursuivi par l'État qui l'avait missionné précédemment et qui, ayant fini sa guerre, le considérait désormais comme un adversaire... »

Si ces mariages, qui peuvent rappeler celui de la carpe et du lapin, ont fait florès en France, on les retrouve en Italie, forte d'une longue tradition en ce domaine, également en Espagne, où l'on vit des criminels mobilisés pour tuer par centaines des soldats envoyés par Napoléon, mais aussi au Kosovo et même en Chine ou au Japon, où la figure du mercenaire transformé en bandit est récurrente, mais il y a bien une spécificité marseillaise que notre interlocuteur décrit ainsi :

« Marseille, c'est un endroit extrêmement intéressant parce que c'est là où le crime est devenu industrie, avec Carbone et Spirito, en même temps qu'à Cicero, dans la banlieue de Chicago, avec Al Capone. C'est l'endroit où l'on a considéré le crime comme un étalon économique, l'étalon de la société libérale – intégration verticale, intégration horizontale, investissement dans la recherche et développement des zones de chalandise –, seule la gestion de la concurrence est un peu plus définitive que dans le monde civilisé ou dans le petit commerce. Et, par ailleurs, un port comme Southampton, en Angleterre, où l'arrivée des bateaux à vapeur, l'accélération du tonnage, la rapidité des transferts amènent mécaniquement à passer des biens aux humains, immigration clandestine, trafic d'êtres humains, mais aussi trafic de stupéfiants venant d'Indochine, du Liban et d'Égypte, trafic de piastres et autres transferts d'argent illicite.

« Marseille, jamais aucune ville en France n'aura généré une telle relation incestueuse entre le crime et l'ensemble des institutions économiques, sociales et politiques. Tout le monde devient obligé de la maison Carbone et Spirito qui fait un chiffre d'affaires exceptionnel, manne financière qui permet d'acheter pas mal de gens et, du coup, de contrôler un espace gigantesque… Carbone et Spirito ne seront d'ailleurs pas liquidés par la police, ni par Elliot Ness qui aurait traversé l'Atlantique. Ils ne seront liquidés qu'à la fin de l'Occupation parce qu'ils ont choisi le mauvais cheval. L'un sera tué dans un bombardement, l'autre fuira en Espagne, et ils seront remplacés par d'autres criminels qui essayaient de se faire leur place au soleil, mais qui avaient choisi la résistance, socialiste en l'occurrence, je veux parler des frères Guérini.

« Pour reconquérir la ville dont il avait été élu maire provisoire et qu'il avait perdue au profit des communistes, Gaston Defferre s'appuie sur ceux qui étaient avec lui dans la Résistance, à une époque où il y a dans les élections une partie physique, où il faut se confronter à l'adversaire. Une espèce de sainte alliance rose bonbon se dessine pour éviter que la ville ne reste rouge, mais, au-delà de la victoire électorale, il faut démanteler le pouvoir du Parti communiste, notamment le contrôle des docks. Ce n'est pas l'union de la gauche, c'est l'union de tous contre le Parti communiste, qui pèse à l'époque 33 % des voix. Ce ne sont pas les militants de la SFIO [ancêtre du Parti socialiste] qui font le coup de poing, c'est la bande des Guérini, mais il y a une compensation : on ferme les yeux, on laisse faire ce qui doit être fait. Carbone étant mort, Spirito en fuite, la zone est libre. Cependant, pour garantir une forme de continuité, il faut un intermédiaire, un *consigliere*, comme on dit dans le monde mafieux, un homme qui siège à la mairie et dont on ne parlera pendant très longtemps que par périphrases, avec d'immenses précautions pour ne choquer personne : Nick Venturi.

— Pendant que les Guérini s'installent à Marseille, une autre famille corse émerge, celle des Francisci. Dans quelles conditions se rapprochent-ils des gaullistes?

— Les Francisci ont un problème, c'est que les Guérini se sont déjà implantés à la SFIO. Il faut bien qu'ils aient un protecteur et, à l'époque, ils vont choisir le camp gaulliste. Non parce qu'ils aiment le général de Gaulle, mais parce que c'est le camp le plus disponible et que les gaullistes eux-mêmes, en créant le Service d'action civique, ont compris que pour gagner les élections, les tracts et les tréteaux électoraux ne suffisaient pas. Certes, tout le monde est issu de la Résistance, mais il y a plusieurs maisons dans la maison du seigneur et les Francisci occupent la maison disponible. Il s'est passé des choses similaires aux États-Unis, quand la mafia italo-américaine a décidé structurellement de faciliter l'élection de John Fitzgerald Kennedy, de même que la mafia de Las Vegas s'est puissamment intégrée dans le système. On a d'ailleurs vu des *consiglieri* devenir maires, députés ou sénateurs après avoir été les avocats du crime, de même que le système politique italien a été entièrement gangrené par la mafia… Néanmoins, à Marseille, on ne peut pas donner trop de choses aux Francisci, cela risquerait d'agacer les Guérini, alors, par souci d'équilibre, on leur concède les cercles de jeux dans la capitale. C'est un échange de bons procédés, une forme de racket accepté, de remerciement.

— Si l'on s'arrête un instant sur ces cercles de jeux parisiens, qui ont presque tous été fermés par la justice ces dernières années, la présence d'anciens policiers parmi les membres dirigeants, au côté des voyous, n'était-elle pas une incroyable anomalie ?

— Il y avait un côté parfaitement anachronique dans la gestion des cercles de jeux, mais les relations insulaires dépassaient le clivage police-criminels. Il faut bien composer, ces criminels avaient peut-être aussi rendu de grands services dans d'autres affaires, l'assassinat d'un préfet en Corse par exemple, des histoires de terrorisme, la problématique de l'évolution du FLNC, des deux branches, des trois branches, des quatre branches... C'est peut-être également la légitime rémunération d'interventions importantes, et pas seulement en France, parfois sur nos anciennes terres coloniales, en Afrique ou ailleurs. On ne sait jamais. C'est difficile à comprendre, assez compliqué à expliquer et, en général, ceux qui en avaient la charge vous expliquent des choses inexplicables en faisant référence à des sujets inabordables, le tout augmenté d'euphémismes extrêmement créatifs, mais ils ne le font ni par bêtise, ni par incompétence...

— Les fidélités nouées dans les rangs de la Résistance ont visiblement pesé lourd dans l'histoire de la Ve République...

— Les relations incestueuses entre organisations criminelles et vie politique existent aussi dans les pays qui n'ont pas été occupés, mais la Résistance a solidifié la relation. Quand on a vécu deux, trois ou quatre ans de résistance face à un ennemi commun, qu'on soit flic ou voyou, on ne se regarde pas de la même manière avant, pendant, et surtout après. Cela entraîne une absence d'interdit. La frontière devient molle. On se dit : "Oui, mais il m'a sauvé la vie, je lui ai sauvé la sienne..." On se crée des obligations.

— Diriez-vous que Gaston Defferre, maire de Marseille, était le jouet des gangsters ou qu'au contraire il s'est servi d'eux ?

— Gaston Defferre a été plus maître d'œuvre que jouet, plus gérant de marionnettes que marionnette lui-même, mais tout a un prix. Il s'est servi des gangsters, mais il a cotisé. Il a fait ça proprement, sans excès, puis les affaires ont pris une proportion gigantesque, avec la French Connection et l'assassinat d'un juge. Quand il est devenu ministre de l'Intérieur, il a commencé à prendre ses distances, probablement parce que François Mitterrand le lui a demandé.

— La collecte du renseignement criminel se fait dans les hôtels de passe, les cercles de jeux, les cités où l'on trafique... Dans quelle mesure doit-on couvrir ces lieux pour contrôler la pègre ?

— Le renseignement criminel, c'est comme l'immobilier. Dans l'immobilier, c'est localisation-localisation-localisation. Dans le renseignement, c'est humain-humain-humain, ou en français courant : indic-indic-indic. La police ne peut pas vivre sans indicateurs. Et un indicateur n'est pas un policier, mais un criminel qui parle. Il parle parce qu'il est forcé, il parle parce qu'il est payé, ou bien il parle parce qu'il a envie de se débarrasser d'un de ses concurrents. Personne ne cherche à savoir pourquoi il parle, ce qui est intéressant, c'est ce qu'il dit. Depuis les cours des miracles jusqu'à nos jours, la police dispose heureusement de beaucoup d'informateurs, au-delà des interceptions téléphoniques, des micros, de la géolocalisation, des balises, des satellites et autres folies diverses. La police a une obsession technologique, elle a tendance à faire du fétichisme technologique, mais elle sait que, fondamentalement, 90 % de ce qui l'intéresse vient de celui ou celle qui va révéler, pour toutes les raisons possibles et imaginables, une information essentielle et directe. Et, bien évidemment, si on veut de vraies informations, il faut les demander à de vrais criminels ou à leur entourage immédiat, à des personnes qui sont complices, receleurs ou techniciens, c'est comme ça que tout a toujours fonctionné et que ça fonctionnera toujours... Dès lors que l'on supprime le renseignement humain, on n'arrive qu'à des catastrophes, dans le genre NSA [National Security Agency] : de l'aveu même des Américains, le fait d'écouter tout le monde n'a jamais rien empêché…

— Quand un ancien patron du renseignement français, Bernard Squarcini, nous explique que c'était pas mal d'avoir des cercles de jeux à Paris, parce que cela permettait de surveiller le crime organisé corse, il est dans le vrai ?

— Je partage l'avis de Bernard Squarcini : il vaut mieux avoir les criminels sous la main que loin. Il vaut également mieux les concentrer que les éparpiller.

— Avec la brigade mondaine, au temps où les politiques étaient friands des secrets d'alcôve de la République, n'a-t-on pas atteint une forme de sommet du genre ?

— Dès lors qu'il y a des hôtels de passe, l'intérêt n'est pas de les interdire, mais de les rendre attractifs, savoir qui les fréquente et ce qui se raconte sur l'oreiller. Le fait d'avoir un député ultracatholique de l'ouest de la France qui, toute la journée au Parlement, donne des leçons de morale, et qui vient le soir se faire tripoter chez Mme Gudule, peut amener à avoir sur lui un levier particulier. On peut lui suggérer d'oublier d'aller voter contre un gouvernement, de se faire discret ou de trouver soudainement un intérêt massif au nouveau canon de 75 au moment où il faut voter les crédits militaires. Aujourd'hui, on a un peu de mal à imaginer que ça puisse avoir un quelconque effet sur un parlementaire mais, à l'époque, c'était très efficace. On l'a vu dans des pays où la pruderie et la pudibonderie étaient plus développées encore, comme la Grande-Bretagne ou les États-Unis, où une partie importante des écoutes réalisées par le FBI ont sauvé la peau de leur patron, Edgar Hoover, sous les Kennedy – il y était question des ébats du président Kennedy avec un nombre élevé de personnes relativement diversifiées qui n'étaient pas toutes sa femme.

— N'est-ce pas un terrain, un système propice au développement de la corruption ?

— Corrompre un policier qui peut ouvrir ou fermer votre maison de passe, votre cercle de jeux, votre club échangiste, c'était une pratique des années 1970, racontée par chacun avec nostalgie. Tout grand flic qui se respecte, d'une manière plus ou moins elliptique, évoque ces petits arrangements avec la vertu et la morale de l'époque, de l'argent qui d'ailleurs servait à tout et pas seulement aux fins de mois des policiers, puisqu'une partie allait vers les orphelins de la police... Un certain nombre de responsables politiques étaient eux aussi arrosés pour leurs campagnes locales. Ce n'est pas le parti politique que l'on finançait, mais

M. Machin, candidat dans le 27e arrondissement, évidemment soutenu par Trucmuche qui disposait de la plus grande discothèque du quartier et qui avait intérêt à ce que l'élu local soit bienveillant sur les horaires et les petites difficultés, par exemple, en cas d'overdose dans les toilettes. C'était une forme d'assurance, d'ailleurs, on pouvait participer à l'élection des deux candidats pour être sûr de durer.

— Les services de renseignement extérieurs, le SDECE, ou la DGSE, qui lui a succédé, ont-ils eu régulièrement recours au monde du crime pour mener leurs opérations ?

— La norme mondiale pour les services de renseignement, c'est de disposer d'agents à eux, là où ils sont fortement implantés, et de régler ce type de choses en interne pour éviter justement d'être soumis ensuite à des chantages ou à l'intérêt trop poussé de certains journalistes. Quand ils n'ont pas ces moyens-là, il reste les moyens du bord, le crime, mais, en général, on avance masqué, sous faux pavillon.

— Lorsque Valéry Giscard d'Estaing arrive à l'Élysée en 1974, comment gère-t-il les polices parallèles gaullistes qui occupent le terrain, à commencer par le SAC ?

— Giscard voudrait bien se passer des structures issues du gaullisme, mais il n'a rien en face, hormis quelques personnes qui viennent de l'extrême droite. Il peut aussi s'appuyer sur quelques Corses, comme Jacques Dominati [fondateur des Républicains indépendants avec Giscard], et va tenter de mettre en place un outil comparable au SAC, qui puisse assurer le service minimum. Il n'aura pas le succès escompté, parce que ce n'est pas sa nature et qu'il n'a aucun contact dans le milieu. Pendant ce temps, Jacques Chirac récupère toutes ces structures qui, bien que vieillissantes, sont encore extrêmement puissantes, avec l'aide d'Alexandre Sanguinetti [député gaulliste] et de Charles Pasqua.

— Quel est le rôle exact des juges dans la lente, mais réelle élimination de ces réseaux qui œuvraient dans l'ombre de la République ?

— On a un cycle "corruption, facilitation, souplesse, perméabilité", puis on a le cycle d'après, un de juges, de flics, de journalistes, d'élus locaux. Les juges seuls ne seraient arrivés à rien. Ils ont besoin de flics en qui ils font confiance, de politiques qui les protègent, comme en Italie après l'assassinat des juges antimafia.

— Quel regard la gauche porte-t-elle sur la police lorsqu'elle arrive au pouvoir en 1981, après des années de pouvoir sans partage des gaullistes ?

— La gauche a non seulement été éloignée du gouvernement, mais quand elle contrôlait des villes, elle ne voulait pas de polices municipales. Elle s'est coupée totalement de la problématique "sécurité", elle l'a ignorée, l'a jetée. Elle pensait que c'était une patate chaude, un truc de droite, elle a donc fait une sorte de déni, de refus d'obstacle. Quand elle arrive au pouvoir, en 1981, elle se trouve totalement démunie, parce qu'il n'y a quasiment rien sur la question dans le programme de la gauche et qu'il va falloir inventer. Qui sont les seuls hommes de gauche qui connaissent quelque chose à la police ? Les syndicalistes policiers, qui vont négocier le volet social. Au-delà, à part un député qui connaît le budget de la police, c'est le vide total, absolu. Et la gauche mettra à peu près dix-huit ans à intégrer le problème, jusqu'à Jean-Pierre Chevènement en 1997. Elle comprendra alors que la sécurité n'est pas qu'une affaire de droite et que la police, ce ne sont pas que des fachos.

— Cette génération socialiste qui arrive au pouvoir en 1981 n'est-elle pas encline à considérer la police comme une ennemie, à cause notamment des enquêtes politiques des Renseignements généraux à son sujet ?

— François Mitterrand avait tout de même été ministre de l'Intérieur, mais cela ne les a pas empêchés d'avoir tous une trouille bleue le soir du deuxième tour de la présidentielle en pensant qu'il allait y avoir des colonnes de chars qui monteraient sur Paris, que le général Massu apparaîtrait, que l'Ordre de la Légion d'honneur allait organiser une contre-insurrection... En fait, ils s'imaginaient dans une logique Pinochet-Allende : le siège du parti allait être encerclé, tout le monde allait être arrêté et on finirait au Parc des Princes. Je l'ai vécu physiquement, c'était une ambiance bizarre, puis, en fin de compte, tout le monde a découvert que le système fonctionnait très bien et que l'alternance était possible... La gauche s'est très vite adaptée. Dès le lendemain du jour où il y a eu un nouveau ministre de l'Intérieur et un nouveau directeur de cabinet, le directeur des Renseignements généraux est venu, comme chaque fois, faire son petit rapport particulier, sauf qu'au lieu de se concentrer sur les députés de gauche il se concentrait sur les députés de droite, désormais dans l'opposition. La gauche a dit : “bon, ça marche très bien, on garde”. La gauche avait beaucoup plus peur de l'armée que de la police...

— La question des cités, territoires perdus de la République, est au cœur de notre enquête. Comment, selon vous, et à partir de quand ces quartiers ont-ils dérivé ?

— C'est une vieille affaire. L'histoire des cités en France démarre au XVIe siècle avec la création de la “lieue du ban”, qui va devenir la banlieue. C’est un choix délibéré qui voit le cœur des villes entouré de fortifications, le reste se situant en dehors, avec des habitants qui ne payent pas l’impôt, alors appelé octroi. Le préfet Georges Eugène Haussmann est celui qui va le mieux formaliser les choses. On a connu la Fronde, on a eu des tas de manifestations populaires, 1830, 1848, et le moment est venu, comme il l’écrit dans une lettre à Napoléon III, de réorganiser la ville. Il propose de creuser les grands boulevards pour l’adduction d’eau, le tout-à-l’égout, l’éclairage au gaz, pour permettre aussi la circulation de deux fiacres, l’un en face de l’autre sans qu’ils se rentrent dedans, mais, surtout, pour pouvoir positionner les canons en batterie afin de réduire la populace le jour où elle s’énerve. C’est la seule fois dans l’histoire que l’on fait de l’urbanisme au nom du maintien de l’ordre, et pas l’inverse. La problématique générale est celle des classes ouvrières, de ces classes laborieuses que l’on dit dangereuses, avec les canuts de Lyon en première ligne…

« Avec les années 1980 et les premières émeutes urbaines, aux Minguettes, à Lyon, on s’aperçoit subitement qu’on a concentré dans des endroits spécifiques plusieurs ghettos en un seul. Ghetto d’immigrés, ghetto de pauvres, ghetto urbain, avec des dalles et des tours, on a concentré les problèmes au lieu de les diffuser. L’aménagement urbain n’est pas particulièrement mon métier, mais il est clair qu'en créant ces espaces on pouvait assez facilement envisager que c'était là que ça allait péter. C'est exactement ce qui s'est produit. La France fait semblant de découvrir ce qu'elle voyait depuis toujours, au moment où ces populations plutôt passives, issues de la première vague d'immigration, employées dans l'industrie, changent de nature avec le regroupement familial, les grosses fratries, parfois la polygamie, dans des petits logements qui avaient été faits pour des travailleurs à durée déterminée qu'on allait renvoyer chez eux… On assiste dans le même mouvement à une fuite des "petits Blancs", ce qui casse la mixité sociale et favorise la concentration ethnique, avec des gens plus pauvres qui deviennent quasiment otages de leur propre logement parce qu'ils n'ont pas d'autres endroits où aller… Au bout d'un moment, ce cumul crée les conditions naturelles du cocktail Molotov. Il ne faut pas grand-chose pour qu'il explose parce que c'est de la nitroglycérine. La police, elle, ne suit pas. On étend les zones de carte orange de trois à cinq, puis de cinq à sept, puis à huit. L'Oise, l'Eure-et-Loir, l'Yonne deviennent des morceaux de l'Île-de-France, et ce bassin du transport modifie les transhumances, avec une carte de la criminalité en plein essor, alors que celle de la police et de la justice reste statique, et cette déconnexion rend les espaces gazeux plus explosifs encore.

— Y a-t-il des périodes durant lesquelles le pouvoir politique a choisi de laisser la police aux portes de ces quartiers au nom d'une forme de paix sociale, au risque de favoriser l'émergence d'une hiérarchie parallèle ?

— C'est en 1921 que la question de la sécurisation s'est posée dans les HLM, qui étaient à l'époque des HBM, habitations à bon marché. Le préfet de police de Paris décide alors de créer la première entité de sécurité privée, la société parisienne de surveillance, qui va faire en sorte que les gardiennes d'immeuble soient des épouses de gardiens de la paix ou que les gardiens de la paix deviennent les maris des gardiennes d'immeuble pour assurer un contrôle social dans ces tours que l'on voit surgir et qu'il voudrait contrôler. Cette logique va être poursuivie jusqu'à la guerre d'Algérie, une rupture, dans la mesure où les attentats commis par des activistes indépendantistes et par l'OAS, dont beaucoup visent les policiers, conduisent les autorités à les "déshabiller", autrement dit à leur permettre de circuler en tenue civile. Les policiers eux-mêmes cherchent à s'éloigner de cités où ils sont devenus des cibles, mais ce n'est pas la seule évolution dommageable : à cause de ces tensions, la police commence à connaître des problèmes de recrutement, elle envoie dans les quartiers les plus difficiles les agents les plus jeunes et les moins expérimentés, alors que les anciens ont droit aux quartiers tranquilles. C'est-à-dire que l'on fait dans la police comme dans l'Éducation nationale, tout à l'envers, du point de vue de la sécurité publique…

« Les premières émeutes montrent que les policiers sont non seulement des cibles lorsqu'ils interviennent, mais peuvent aussi faire l'objet de guets-apens. C'est le début du combat pour le contrôle du territoire, lié à la professionnalisation des bandes qui vont devenir des gangs en prenant le contrôle de la distribution des stups, fournis jusque-là auprès d'une sorte de grande "centrale d'achats". Cela commence à Marseille avec Farid Berrahma, dit le Rôtisseur, qui comprend que le fait d'être le dernier maillon de la chaîne vous donne un pouvoir terrible sur la chaîne en question. Ces gangs ont besoin d'armes pour contrôler leurs livraisons, mais aussi pour se battre contre la "centrale d'achats", ces vieux caïds pour lesquels ils sont devenus indispensables, un peu comme les Zetas au Mexique, qui étaient les gardes prétoriennes des cartels colombiens de la cocaïne, jusqu'au jour où ils en ont eu assez de toucher des miettes et ont pris le pouvoir.

« La police, elle, se retrouve dans une situation très complexe parce qu'elle s'est retirée de ces espaces. Elle n'y entre qu'en intruse et se retrouve face à un groupe criminel qui la considère comme une autre bande. Elle se retrouve en concurrence pour la gestion du territoire, surtout la nuit. Et puis, il y a ce problème que j'évoquais et qui s'aggrave, cette déconnexion entre le territoire du crime et celui de la police et de la justice. Il y a deux cents bassins de criminalité dans lesquels vous pouvez avoir trois circonscriptions de sécurité publique, cinq zones de gendarmerie, ce qui nous rappelle la situation dans laquelle s'était retrouvé Clemenceau en 1900. Arrivé au ministère de l'Intérieur, il s'était fait dresser un tableau de la situation criminelle qu'il avait ponctué par cette question : "Si je comprends bien, des bandits équipés d'armes à feu et circulant dans des voitures automobiles sont aujourd'hui coursés par des gendarmes à cheval équipés de sabres ?" "Oui, chef", lui avait répondu son interlocuteur. "J'ai donc le choix, avait repris le ministre, entre demander à MM. les bandits de bien vouloir s'adapter à ma police ou demander à ma police de bien vouloir s'adapter aux bandits ?" "Oui, monsieur le ministre." "Je crois que je vais prendre l'option deux", trancha Clemenceau, qui crée dans la foulée les Brigades du Tigre, s'extrait de la problématique territoriale et résout en deux ans la plus grande crise criminelle de la France moderne.

« On est dans la même situation aujourd'hui, avec une police configurée pour des bassins de criminalité qui n'existent plus et des méthodes d'investigation et d'action qui n'ont jamais été calibrées pour résoudre des problèmes criminels inédits, avec un crime qui fait vivre plusieurs centaines de milliers de personnes dans les territoires concernés, qu'ils soient hors du centre ou dans le centre, comme à Marseille ou à Nice. On parle d'abord des effectifs et ensuite des objectifs, partout ailleurs, on fait l'inverse : territoire, objectif, moyens... Tant qu'on n'aura pas changé d'optique, on sera toujours décalé.

— Des policiers nous ont expliqué que même s'ils avaient les moyens, les élus locaux auraient intérêt, pour être réélus, à laisser la pègre travailler tant que cela ne se voit pas trop...

— Aucun élu local n'a intérêt à voir sa ville à feu et à sang, en même temps, il n'est pas possible de créer un espace où il n'y aurait aucune activité criminelle et délinquante. On peut, en revanche, décider de ce que l'on tolère et de ce que l'on ne tolère pas. Est-ce qu'on tolère la prostitution, est-ce qu'on tolère le trafic, à quel endroit ? Dans chaque ville, si vous prenez le brigadier-chef qui fait la nuit, blanchi sous le harnais, qui est là depuis quinze à vingt ans, il vous fait en trois minutes la cartographie du marché aux voleurs, de la catégorie de prostitués, hommes, femmes, enfants et spécialités que vous cherchez, et ainsi de suite. Tout le monde sait tout, il n'y a aucune difficulté de renseignement dans la police. La question, c'est : qu'est-ce qu'on en fait ? Parce que entre l'élu local et le policier il reste un problème majeur : le magistrat...

« Qu'il y ait un braquage par-ci, un vol de sac à main par-là et que cela soit réparti sur l'ensemble des territoires, c'est une chose. Que ces braquages, hold-up et autres règlements de comptes soient concentrés sur un seul territoire change totalement l'image de ce territoire et pèse énormément sur le politique, qui du coup est accusé d'incompétence, de laxisme. Les représentants de l'État ont un côté pragmatique – c'est toujours facile de juger les gens du point de vue moral ou éthique, je ne suis pas professeur de morale mais criminologue, ce qui est différent. Le sujet est le suivant : quelle était la problématique qu'ils devaient régler par rapport à ce qu'ils devaient concéder ? Je connais la pratique habituelle qui veut qu'on ne négocie jamais avec un preneur d'otages, pourtant on sauve des otages. Alors on négocie avec qui ? Il y a une posture qui est un mensonge : on négocie toujours avec un preneur d'otages parce qu'on a envie de sauver la vie de celui qui est pris en otage, et c'est le fait de ne pas le faire qui est criminel. Après, il y a des limites. Il n'y a que du "sur-mesure" dans ces affaires…

— Quelles ont été les conséquences de la politique dite des "grands frères", qui a consisté à recruter les plus âgés des caïds pour les intégrer au dispositif municipal ? N'est-ce pas une nouvelle version du *consigliere* d'autrefois ?

— Si l'objectif, c'est la paix sociale et une réélection, la politique des "grands frères" peut marcher, beaucoup peuvent en attester. Si le but est d'éradiquer les activités criminelles, ce n'est pas fait pour ça. C'est fait pour éradiquer la visibilité de l'activité criminelle, pour éviter en gros que cela ne soit trop agité. C'est ce que j'appelle la politique de l'exutoire, pratiquée avec détermination en France depuis longtemps. Chacun, la main sur le cœur, explique qu'il va lutter pour l'éternité contre le crime, certains le font d'ailleurs, mais dans la réalité ce n'est pas très productif, notamment parce que nous sommes un pays très centralisé où on veut tout traiter de la même manière, mécaniquement médiocre, sans tenir compte de la diversité des problématiques criminelles... Il n'y a pas trente-six méthodes pour régler un problème criminel. Il y a l'affrontement musclé, le compromis territorial ou la lâcheté absolue. L'affrontement musclé est rare, la lâcheté absolue plus répandue et le compromis territorial est la base naturelle de la survie politique. »

Un compromis à l'ombre duquel le lien entre politiques et gangsters poursuit sa régulière métamorphose, avec la police dans le rôle du passeur, parfois du trouble-fête quand la justice a les moyens de s'en mêler, ce qui n'arrivait jamais autrefois mais se produit de plus en plus souvent.

Remerciements

Que ceux qui ont contribué à l'émergence d'une parcelle de vérité, chacun dans son domaine, soient ici sincèrement remerciés.

Dans l'ordre d'apparition : Charles Diaz, Lucien Aimé-Blanc, Jean-Marc Berlière, Charles Pasqua, Daniel Vaillant, William Perrin, dit « Le Grand », Guy Parent, Dominique Alderweireld, dit « Dodo la Saumure », Antoine Mellero, Bernard Besson, Bernard Squarcini, Charles Pellegrini, Raymond Rochet, Gérard Fauré, Bernard Deleplace, Charles-Émile Loo, Pascal Posado, Renaud Muselier, Tony Cossu, dit « Tony l'anguille », Edmond Siméoni, Dominique Bianchi, Bernard André, dit « Le Baron », Michel Lepage, dit « Le Gros », Roland Guilpain, Samia Ghali, Aomar Sadoudi, « Sakho », Nicolas Comte, Sébastien Piffeteau, Abderhamane Sahnoune, Sébastien Pietrasanta, Raymond Nart, Daniel Léandri, Jacques Dallest et Alain Bauer.

Fayard s'engage pour l'environnement en réduisant l'empreinte carbone de ses livres. Celle de cet exemplaire est de :

0,750 kg éq. CO_2

Rendez-vous sur www.fayard-durable.fr

65-4798-1/01
Dépôt légal : setembre 2016
Imprimé en Espagne par Industria Gráfica Cayfosa